U0064378

劉福春・李怡 主編

民國文學珍稀文獻集成

第三輯

新詩舊集影印叢編　第103冊

【王獨清卷】

獨清自選集（下）

上海：樂華圖書公司 1933 年 9 月初版

王獨清　著

花木蘭文化事業有限公司

國家圖書館出版品預行編目資料

獨清自選集（下）／王獨清　著 — 初版 — 新北市：花木蘭文化事業有限公司，2021〔民110〕

180面；19×26公分

（民國文學珍稀文獻集成・第三輯・新詩舊集影印叢編　第103冊）

ISBN 978-986-518-473-5（套書精裝）

831.8　　10010193

ISBN-978-986-518-473-5

9789865184735

民國文學珍稀文獻集成・第三輯・新詩舊集影印叢編（86-120冊）
第103冊

獨清自選集（下）

著　　者　王獨清
主　　編　劉福春、李怡
企　　劃　四川大學中國詩歌研究院
　　　　　四川大學大文學學派
總 編 輯　杜潔祥
副總編輯　楊嘉樂
編　　輯　許郁翎、張雅淋、潘玟靜　美術編輯　陳逸婷
出　　版　花木蘭文化事業有限公司
社　　長　高小娟
聯絡地址　235 新北市中和區中安街七二號十三樓
　　　　　電話：02-2923-1455／傳眞：02-2923-1452
網　　址　http://www.huamulan.tw 信箱 service@huamulans.com
印　　刷　普羅文化出版廣告事業
初　　版　2021年8月
定　　價　第三輯86-120冊（精裝）新台幣88,000元　

獨清自選集（下）

王獨清 著

子畏於匡

（上）

——唉唉，昨夜怎麽又沒有夢見周公呢！唉唉，昨夜怎麽又沒有夢見周公呢！孔子一覺睡了醒來，微微地伸了一伸懶腰，看見已經有幾個門人站在房門外邊了，便急忙一翻身由土坑上爬了起來，曳起他像讀『詩』的調子說了這樣兩句獨白。

這差不多已經成了一種習慣了，他每當早晨還沒有睡醒的時候，門人們總要輪流着在他旁邊站一兩個時辰的班的，爲的是等他起身後侍奉他洗臉嗽口梳鬍鬚等等的事情。在他也是一種習慣，起身後總要先說兩句獨白，不是說昨夜夢見周公，便是說昨夜沒有夢見周公，不然便是先嘆兩口氣，表示他一夜都用着思想，沒有安穩地睡覺，接着就說是現在的世事是不行了，使他不能發展他底才能等等，大概總是只說到兩句的樣子，便不再多說。門人們馬上便捧着梳洗的器具圍了上來，一面請他梳洗，一面給他問安。

可是今天早晨孔子有些驚訝了。他由這店房中的土坑上爬了起來，並且照常地說了兩句話以後，卻還不見那幾個站在門外的門人走上前來。他以爲是他睡的這個土坑的方向沒有正對着房門，門人們沒有看見他是已經坐在了坑上，一面或者也由於他說話的聲音太小的緣故，所以便又把嗓子提高了一下，仍然用他讀『詩』的調子，再重複地說道：

——唉唉，昨夜怎麼又沒有夢見周公呢！唉唉，昨夜怎麼又沒有夢見周公呢！

這一次聲音的確是很大的，在房門外的人無論如何總可以聽得見了。但是，奇怪！那幾個門人還是連動也不一動，好像簡直沒有這一回事的一樣。這個使孔子底心中完全冒起火來，他使勁地把他身上的長一身有半的寢衣一脫（差一點怕就要扯破了，）由坑裏面拉出一件外衣來披在了身上，便很憤怒地跳下了坑來。可是這時當他揉了揉眼睛，注意地一看那幾個門人時，他纔發見他們底臉都是朝着外邊，並且個個人都帶着一種驚慌的樣子，特別是那個瘦弱多病的顏淵，或者因爲他衣裳穿得太薄的緣故，只見在不停地打着冷戰。這分明顯露出了是有甚麼意外可怕的事情發生了。

——唔，囘呀，是有甚麼使我們敬戒的事情嗎？畢竟還是顏淵可以使孔子不發脾氣，孔子看見了他那種可憐的樣子，便首先叫着他發問

這時門人們纔注意到孔子了，都一齊囘過了頭來，鹵莽的子路聽了孔子在發問，便

不等顏淵底回答，先揚起頸子來報告道：

——先生呀！不知道什麼緣故，這兒匡地底農民把我們住的這個客店圍住了。他們有的拿着鐮刀，有的拿着鋤頭，預備要殺我們呢！

這事來的眞是有點驚人，孔子聽了子路底這個報告，不由得倒抽了一口冷氣：

——唔唔……

這時他纔眞個聽到外邊羣衆叫喊的聲音，同時也看到通過他房門前的院子，在客店底大門口擁着的那羣執着武器的農民了。因爲這事來得太覺突然，竟使他失了一向威而不厲和恭而安的態度，不覺帶了顫聲向子路問道：

——哦，由呀，你是聽見他們說是要殺我們的嗎？

這時顏淵看出孔子是有些害怕了，便忙搶着用安慰的口吻（其實他自己還打着冷戰呢）說：

146

——我想不會的。有先生這樣的聖人在這兒咧，他們怎麼敢行其不義呢！

子貢在一旁正在爲他身邊帶的旅費憂愁，這時也忙插了一句：

——他們怕是爲搶刦我們底貨財的罷？

畢竟還是顏淵可以使孔子安心，他底一句話果然便發生了効力了；孔子並不理子貢底推測，仰起頭來歎了一聲道：

——啊啊！回呀，你眞說得對！你若有錢時，我一定去作你管錢的人。啊啊！回呀，你眞說得對！文王雖然死了，但是承繼他的除了我還有誰呢？假使天不要人承繼他，那我可以隨便被甚麼人殺掉，但是天已經要人承繼他了，那麼匡人敢把我怎麼樣！匡人敢把我怎麼樣！

——是呀！顏淵看見孔子底膽漸漸地壯起來了，便再附和地說：前次桓魋要害先生時，先生不是也這樣說過嗎？結果果然他不敢把先生怎麼樣呢。

——啊啊！孔子不覺又驚讚起來了。連二連三地點着頭說：「回呀，回呀；你眞是聞一而知十呢！我自有了你以來，這些人們（他用手指着他身旁的幾個門人）不知道得了多少的益處，你使他們更要信仰我，更要親近我了。回呀，回呀，你若有錢時，我一定去作你管錢的人。」

這師徒兩個就儘管這樣互相標榜了一陣，對於目前了不得的禍事還沒有一個切實的辦法。這個竟然激惱了那位遇事切於實際的子張了，他很憤慨地向着孔子抗議道：

——現在不是說空話的時候。我們一向只知道讀書，遇到這樣的事情，若是還在「文質彬彬，」恐怕大家當眞要跟着文王去了呢！

這幾句話說得眞過於強硬了，竟使孔子幾乎馬上答不起話來、——這種情形不知道有多少次數了，子張話出來的話總使孔子難於應付；好幾次孔子想不要這個弟子了，但又因為他應送的束修總是按時交到，所以便又馬馬虎虎地敷衍下去。現在子張又這樣不客氣地說話了，這使孔子不得不發脾氣，兩個眼睛盯住了子張，很想大大地發作一下。但是在這個時候，忽然子路大叫了一聲，用手指着前面說：

——看呀！看呀！他們來了！他們來了！

孔子忙撇開了子張，跟着子路底手看向前去，果然是有十多個高大的農民由店門口走了進來，他們手中都拿着一把鐮刀，赤着脚，很粗野地向這一方走來。

——唔，唔……孔子看見門人們都在面面相覷，嚇得沒有一個敢動，自己不覺得也同顏淵一樣，全身上都在打起冷戰來了。

——你們要怎麼樣，你們這些野人？還是子路英勇，雖然也同其他的門人一樣的害怕，但是當到那幾個農民要走到面前的時候，卻振起了精神，把袖子一捲，揮着兩個拳頭衝上前去問了一聲。

——走開！我們不同你講話。我們要的是陽虎！

大家聽了為首的那個頭目底粗野的回答，不覺同聲詫異地叫了起來：

——陽虎？

——陽虎？

——陽虎？

——……？

這時聰明的子貢知道這時只是一個誤會，並沒有多大的危險了，便走上前一步去辦交涉：

——你們弄錯了啦。這兒羊也沒有，虎也沒有，這兒有的只是孔夫子，你們再不要撒野了！

——諸位錯了，我是孔丘呢。孔子也忙拱起手來鞠躬如也地分辯。

——囉？甚麼？你是孔丘嗎？

——的，孔子忙又答應着說：我實在是孔丘。許多人都因爲我底面貌有些地方很像陽虎，便以爲我是他了，其實陽虎並不一定同我相像呢。最不一樣的便是我這頭！（孔子說到這裏，忙把他底後部靠住房門，——或者因爲冷戰打得太厲害了，有點站不穩的緣故罷。——把腰彎了一下，低下他底頭來讓他們看）我這頭是墳起着的，這個尖頂是陽虎所沒有的呢。

鹵莽的子路又搶着說道：

——你們或者以爲夫子去會過陽虎，便也把夫子當成陽虎了嗎？可是他雖然會過陽虎：僅僅答應過說是要去謀一點事做，其實他還沒有實行。他不過只吃了陽虎底一個燒豬罷了……

鹵莽的子路只知道搶着說話，卻不知道話底輕重，這幾句不需要而容易壞事的話還沒有說完已經把孔子氣得臉都變白了，他不等子路底話完，便狠命地回頭來罵着子路說：

算了罷！哦，由呀，你眞野呀，你眞野得同這些匡人一樣了，君子對於自己不明白的事情總是不說的呀！你怎麼却是這樣地愛說話呢？

但是事情終歸被子路弄壞了，不怕孔子這樣罵了幾句，却已經挽不回來那幾句話所發生的不好的效果。這時匡人底頭目在張起大嘴哈哈地笑起來了。他一面笑一面嚴厲地說道：

——是這樣嗎？哈哈哈！你不是陽虎，也是陽虎底同黨！陽虎在我們這兒刮了許多地皮，大概你也分了些罷？哈哈哈！捉住你，同捉住陽虎一樣！橫豎你們兩個生的都是差不多的，所不同的只一個頭，這有甚麼要緊呢！你說你是孔丘，好！就是孔丘也罷，又有甚麼大不得了處！你終日在講道德，說仁義，試問你自己到底做了些甚麼？你底手拿過鋤頭嗎？你底

152

脚在田地裏跑過嗎？你怕連麥子和穀子都認不清楚呢？還虧你招搖了這許多徒弟！還虧他們把你叫作『夫子』！哈哈哈！夫子，你配當夫子嗎！你到處去勾結皇帝，勾結官僚，想來蒙蔽我們百姓，你是只要我們百姓跟到你走，你是不要我們有知識的呀！哈哈哈！聽說你不久纔在衞國和衞靈公底老婆叫作甚麼南子的要好得不得了呢，哈哈哈！怪不得聽說你有個甚麼徒弟得了一身的毒瘡死了呢。哈哈哈！爲捉陽虎，却捉到了你，剛好！剛好！

這樣一串淋漓的痛駡，弄得全體都不敢說話了。就是善辯的子貢，也變得像三緘其口的金人一樣，孔子是把一個全身都貼在了門上，兩眼發着直光，臉色簡直變成死白的了。

沉默了一陣，不知道是孔子底樣子太可憐了，竟使匡人底頭目生了同情的心情，或者還是那頭目想起了別種緣故，覺得不宜把孔子辱得過火，他竟沒有用他手裏的鐮刀，忽然再向着孔子說道：

——也罷！我不殺你，我讓你自己餓死！我們只把這店門圍住，使外邊沒有糧食送進來，店裏沒有飯給你吃，就讓你這樣餓死！像你這不拿鋤頭的人也正應該嘗嘗這個滋味呢！

眞像是判決罪人的一樣！那頭目宣布了他定給孔子的刑法，便掉過了身子，率着他底同伴走出店外去了。

（下）

孔子這次是由衞國出來的，他這次離開衞國，實在因爲有一樁最痛苦的事體，使他在那兒再不能安居下去了。他到衞國不久的時候便和衞靈公底夫人南子發生了戀愛。提起這個南子，在當時眞是無人不曉：她底美色在傾倒着一切的公卿大夫，特別是衞國掌兵權的左右司馬，簡直瘋狂一般的拜倒在她底脚下。衞靈公也就是靠這種情形在維持着他底政治局面的。可是不知道是甚麼緣故，孔子到衞國不過幾天的工夫便和她發生了戀愛了。這個對於衛國底公卿大夫實在是一件闖入的打擊，因爲孔子底聲名和地位頗能得那位虛榮心強烈的南子底歡心，因此那般公卿大夫便想出種種方法去制牽衛靈公，使他不能給孔子甚麼官職，免得孔子死守在衛國不走。

這便是孔子痛苦的所在了。他一面忍受着那種不能常常接近的相思底煩悶，一面又要對付那般公卿大夫底種種陰謀，他很想在衛國能得個一官半職，便可以住了下去，但是事實上終於沒有成功。

有一次衛靈公和南子坐着一個車在街上巡遊，因爲要優待孔子的緣故，便請孔子獨坐在另一車上跟在他們後面一同走着。當時街上的人們都在嘖嘖地稱羨，說孔子底身分眞同皇帝一樣了，因爲從來很少有人得過皇帝那樣的寵幸，那種榮耀幾乎是從來沒有人享受過的。但是這個卻不能使孔子快樂，他坐在後面的車上看見衛靈公和南子很親熱地並着肩談話，他塡滿了嫉妬的憤火的心就像是一個塞着煤炭的火爐一樣，漸漸地漸漸地爆燃了起來。最後是再也不能忍受下去了，他竟然像發了狂的一般也不招呼一聲執轡的車夫使車子停住便一聳身由車上跳了下來。可是因爲車子走得正快的緣故，他竟像翻了一個觔斗，接着便跌倒在街道上了。及至左右的人把他扶起時，他看見許多人在圍着他問訊，他昏亂的神經纔有些恢復了轉來。因爲弄得過於不好意思了，他便忙指着衛靈公說道：『啊啊，我沒有見過人君好德像好色一樣！啊啊，我沒有見過人君好德像好色一樣！』

自從鬧了這次笑話以後，孔子底舉動總有些不能保持平均的樣子。最顯著的便是他用拐杖打他底老朋友原壤，還有子路爲他殺了一隻野雞，炒得很好的呈給他時，他卻只把鼻子偎在肉上嗅了三下，便連盤子都一齊摔到地上去了。——這一類的事情每天他總要演好幾樁給門人看的，他底脾氣變得非常奇怪，椅子擺不正或是下酒的冷猪肉切得不好時，都是他罵門人的資料。並且怕是因爲神經漸漸虛弱了的關係，他又喜歡吃

156

起刺激性強烈的食物來生氣便是他最喜歡吃的一種，常常為了門人忘記去買的緣故，鬧得連飯都不肯去吃，門人們被他弄得就有些頭痛起來了。

不過在他底門人裏邊顏淵卻是一個最能得他信用的人。每當他和門人吵架的時候，總是顏淵出頭來調解纔把事平下去的。顏淵大概也有些明白孔子的苦處，所以屢次勸他離開衛國、到別處去換一換新的環境，他雖然屢次都答應着說：『我是可以走，也可以不走，可以不走，也可以走的。』但是他始終卻一步也不曾移動過。

但是命運註定他要離開衛國了。他因為顏淵常常這樣勸他，覺得實在有些難以敷衍過去，便去哀求了半天南子，請她無論如何設法使他得一個官職，免得儘管空住在衛國，連門人們都要懷疑了起來。南子果然聽了他底要求，在衛靈公面前代他說了許多好話；結果衛靈公果決真心要任用他了，卻不料風聲一傳了出去，一般公卿大夫都聯合起來一致的聲明反對，最激烈的是左右司馬，立地便提出了辭職，竟弄得衛靈公沒有了主意了。最後是衞靈公去問他能不能帶兵他纔覺得自己實在沒有再在衞國住下去的可能了，只好回答衞靈公說：『俎豆的事，我是學過的；軍旅的事，我實在不懂。』『好，不懂那我可真是沒有方法安插你了！』——其實他也曉得這是衞靈公故意難他的，這樣一來，他纔忍苦含辛地離開了衞國。

——哦哦，只有由這個人討厭呀！哦哦，只有由這個人討厭呀！

匡人底頭目走去了以後，門人們便都默默地到後面他們底房間裏私議去了。只剩到孔子一個人坐在土坑上邊！看着店門口圍着的農民眞好像是鐵桶一樣，這是决沒有法子可以逃出的了。他不由得不把他一腔的怒氣都移到了子路底身上。

他不禁想起他和南子初見面的那一次了。那一次要算他最可紀念的一個時辰：他曾跪在了南子底面前，把他底鬍鬚偎沂着她底雙膝，他感着了從來沒有過的一種陶醉。

158

最後她爲酬答他底好意把她胸前帶的一顆九曲明珠取了下來放在他底手裏作爲她送給他的紀念品。那時他忍不住捧着她底兩手熱烈地狂吻了起來。可是不料當這個時候，不懂事的子路因爲在外邊等了很久（子路是保護他的唯一的親隨，他到甚麽地方去都要跟着的，）有些不耐煩了，竟然很冒失地撞了進來。這個使他幾乎沒有方法可以掩飾他底秘密了，出來了以後，子路滿不客氣地質問他時，他只好仰向着天發了幾句笨誓，纔算把頭腦簡單的子路瞞了過去。

——哦哦！只有由這個人討厭呀！哦哦，只有由這個人討厭呀！

他一面連二連三地罵着子路，一面由懷裏掏出南子送他的那顆九曲明珠來。他很鄭重地把牠用兩手揑着，低下頭去不停地吸吮，他是完全沉沒在回憶的幻夢中去了。

………………

這樣，這樣，他把頭埋在手裏很久很久了，忽然覺到有一個人在輕輕地拍着他底肩頭，接着一個女子底聲音傳到他底耳裏來：

——喂，你就是孔丘嗎？

他吃驚地忙把頭抬起時，他看見一個服裝粗野的年青婦人立在他底面前。她臉上浮着一臉好奇的微笑，她底兩手插在腰間，很傲謾地看着他，這確使他有些驚呆了，他幾乎疑自己是在作夢，不自由地他口裏哼着道：

——你？……你？……

——我嗎？我是這兒頭目底夫人。我聽說你被捉住了，我來看你是怎樣的一個人呢。因爲別人都說你是個聖人，我來看聖人到底是一個甚麼樣子的？

她底原始的獷悍的態度中露着一點風流的自賞。講起話來頭不住地扭動，兩個金色的大耳圈儘管在孔子眼前閃灼。她把孔子由頭上打量到脚上，又由脚上打量到頭上，她完全是把孔子當成了一個猴子了。

不知道是人急智生，還是聖人有權變之道，孔子這時卻像是得了一種意外的啓示，他突然地縮下身去，跪在了這個年青農婦底脚下了。

——哦，頭目夫人！你救救我罷！你們本來是要捉陽虎的，我旣不是陽虎，就該放我自由。我實在是一個好人呢，救救我罷！

——唉唉……

這個卻使着這位頭目夫人有點驚駭了。孔子底這種舉動，大概是出了她底意想之外，她怪訝地怔了一下，便忙抽轉了身子，預備走了開去。

然而她底下層的衣角卻被孔子緊緊地拉住了。孔子繼續地說：

——還是你救救我，還是你救救我！像你這樣美貌，這樣能引起人愛慕的人（孔子居然懂得女子底心理——怪不得大宰曾誇他是多能的呢）一定願意從患難中把人救出來的。你要我怎樣酬謝你，我都辦得到。——哦，（不知道是人急智生，還是聖人有權變之道：他突然把他手揑的九曲明珠遞到她底手裏）你先把這個明珠收下罷，這明珠是九曲的，你看這是多麼好看呀，這種明珠恰恰配得住你，你把牠帶在胸前，一定更顯得你是美貌呢！——哦，那麼，你看，我來把牠替你帶在胸前罷！（他又由她底手裏拿過明珠來，他站了起來替她帶在了胸前。——大概南子帶這顆珠子的地方和形式，他還沒有忘記，所以替她帶得很不外行呢）你看，這多麼好看呀！這多麼好看呀！……

眞糟！當孔子正在這樣一面說着一面替這位頭目夫人打扮的時候，不料顏淵（這一次不是子路了）却一擺一擺地走了進來。

顏淵大概是怕孔子一個人憂愁得太厲害了的緣故，所以特來想安慰安慰並想商議對付匡人的辦法的，不料却撞着了這樣一個意外的現象，但是顏淵畢竟是『不惑』的，他雖然詫異了一下，但却趕快就低下頭來，一轉身又走了出去，忙忙地迴避開了。

這眞討厭呀！——孔子心裏雖這樣恨了一句，但也管不了許多，他還是拚命地繼續

162

着他的工作。

他把九曲明珠給她帶好以後，又把身子一縮，跪了下去了：

——還是請你救救我罷！還是請你救救我罷！

——好罷，好罷，我去同我們底頭目商量去。

最後她算是答應了孔子底請求。當她走出了孔子底房門外邊時，孔子却還是跪在地下，口裏還在不停地說着：

——還是請你救救我罷！還是請你救救我罷！

幾個時辰以後，門人們又聚在孔子底房門前了。這時在店門口圍着的農民都自行走散了，這在門人們看來眞是一個奇蹟。

子路（又是子路！）正在發着他鹵莽的驚歎：

——啊，眞奇怪！這些匡人大概是同我們鬧着玩的罷？

這時孔子已經恢復了他威而不厲和恭而安的態度，他向着子路哂然地笑道：

——由呀，你雖然比我好勇，但是遇事却總有些糊塗呢！

——糊塗？那麼他們旣說是要把我們餓死，爲甚麼却又不言不語地自行走散了呢？

——這個嗎？……哦，文王雖然死了，但是承繼他的除了我還有誰呢？假使天不要人承繼他，那我可以隨便被甚麼人殺掉，但是天已經要人承繼他了，那麼匡人敢把我怎樣！匡人敢把我怎麼樣！

顏淵從一旁走過來了，他照例地附和着說：

——是呀，這正同桓魋要害先生時的事件一樣呢。

孔子一看見顏淵，忽然想起適纔的事情，不覺有點不好意思，便趕忙敷衍了一句：

——這半天沒有看見你，我以爲你走到外邊去被匡人殺死了呢。

184

——那兒底話！先生還活着呢，我怎麼敢去死呀？

這時門人們都充滿着和平的喜悅，大家底臉上都泛着笑容，孔子站在這些門人中間，眞像是一個獨高彌堅的泰山一樣，他聽了顏淵底回答，很高興地又讚美了一句道：

——哦，回呀，你眞賢呀！你若有錢時，我一定去作你管錢的人！你若有錢時，我一定去作你管錢的人！

流浪一頁

——這兒統統算好了：除了收過的一百佛郎，還欠着一千零四十佛郎……

我前面站着一個高大的法國婦人，穿着一身黑衣，臉上露着巴黎式的狡猾的表情，手裏拿着一張賬單給我看。這是服侍蒻雲生產的產婆。

愛國的醫生熱心地介紹的這位產婆，是兼作着一種寄宿舍的生意的她把蒻雲當成了一位到歐洲遊歷的東洋資本家底小姐，房子餐品，都按照着上等的水平去佈置，再加上醫藥和服侍的人工每天平均是需要着六十佛郎；翦雲是生產前後共住了有半個多月的光景，結果便是一筆驚人的賬目。

不消說產婆是和那位愛國的醫生串通好了的，他們一定是看穿了我和翦雲這兩個不懂事的外國人，利用了我們要祕密的弱點就順手敲了一筆竹槓。這個自然我心裏是明白得很，不過同時，我心裏一樣也明白不能夠和她爭執甚麼的。我把我幾個月來到處借得的錢和我投稿給M城底一家週報（這是M城底房東摩萊先生給我介紹的）所得到的稿費統統送給了那位產婆。

翦雲生了一個女孩，當天就被孤兒院抱了去，對於這個在她未到這世界以前便先決定了她底悲慘命運的女性，我是完全沒有見面。就是翦雲，對於自己底可憐的女兒，大概也沒有看得清楚，我只由翦雲手中看見了一張孤兒院交給孤兒的移交人的證明單，那是準備和孤兒有關係的人探問時用的！翦雲在那張單上給女孩起了一個名字叫作

168

"Barrie"，這便是母親對女兒所盡過的唯一的義務。無疑地，翡雲是沒有到孤兒院去探問過；那張證明單不知道以後是不是存在，或者翡雲在自己屢次生活底變化中間爲方便起見，也竟把牠毀掉了罷？

女孩自然是以後誰也不會知道她底消息，能夠想到的便是她也和其他的孩子一樣，跟隨年復一年向人間展笑的春光增長着她底年齡，她底智識，她底容貌：悲慘的命運卻決不能妨止她底成長，——這是應該感謝「自然」的！——也許她是一個聰明的，勇敢的，甚至是動人的姑娘：現在，當我在寫這幾行的時候，算起來她已經有十歲了；若是她還存在，就是說悲慘的命運若沒有濫用牠底權力時，那巴黎底工廠中是就快要多添着一個奴隸：她是快要爲法國資本主義去服務，快要開始在那一羣和她同樣地位的工人中去攪耗她年輕的體力和年輕的血汗的了！——這個女工將來的前途是怎樣，誰知道呢！或者是和某部分受現社會壓迫的人物一樣，無意識地墮落了下去；或者有可能遇到某種人底引導，走向另一方面，甚至將來在法國必然的大事變中間能作一些相當有意義的事體，表現淪落的勞苦羣衆底靈魂之一點星火……這些，誰知道呢！……

蕊雲這時決意要去里昂，她底理由是她在巴黎熟人太少，里昂有她許多同鄉，可以去設些法好維持暫時的生活。這是眞的，我替她處理完了她生產的這樁大事以後，我手頭是已經到了十二分貧乏的地步，連我自己底生活也馬上就要成問題了。大概是在她出了產婆底優等旅館後再過了一個星期的樣子，她便照她底計劃動身。我在巴黎車站上送她時，她再三地叮嚀着要我不久便去看她，並且用一種女性特有的傷別的慘澹表情，她顫抖着聲音對我說：

——不要只記我底過去……我以後一定會抵抗一切誘惑……只要你不放棄我，我是決不會再使你受痛苦的……

我和蕊雲的戲連續地演到這兒，可以說是達到了一個頂點了……

170

蓊雲走後不久的時候，很突然地，我接到一封帶均由J城寫來的信。這信敍述着他和蓊雲接近後所惹起的各方面對他攻擊的情形，他把那些攻擊的聲音綜合起來反投到幾個人底身上去，他說那便是攻擊他的主謀者之一羣。他所舉的幾個人底中間曾暨也是一個，還有些是「少年中國學會」底會員，最要緊的是他露出了一種對我的懷疑，彷彿是自從蓊雲到J城去了以後，我便間接地製造了一些使人得以攻擊他的空氣。他特別指出說他所舉的幾個人都和我認識，接着就說我應該替他作些名譽上的辯護，並且加上說我所處的地位和我初到巴黎時他對我的友誼都是促成我爲他盡這次義務的理由。——這是很明顯的，帶均是很聰明地定下了計劃蓊雲既是已經和他脫離，當然盡可能地把過去的一段歷史在表面上洗刷乾淨是最好的事至於擔任洗刷的職務除了我又是再沒有適當的人物，因爲由我出來否認他和蓊雲的關係，那纔可以使別個相信，同時，還有蓊雲生下的孩子的問題，帶均一定爲這件事感到了很大的憂慮，在他想來也只有由我出來這樣的說一番話纔可以免去將來對於他的麻煩，不過，我必須聲明，當我接到帶均底信的時候，我卻不曾立刻觀察出帶均底這些用意因爲他底信寫得是太過動人了。帶均一向並不長於文學，可是這封信卻好像是烟士披里純了的作品，他用一種有色彩的傷感主義者底鼓動手法在刺激着讀信的人。（可惜的是我把這封信失掉了，不然，我一定把牠公布在這兒。）我是眞的被他打動了，被他底藝術打動了。他底勝利就在使我在那個剎那好像忘記了他所有的過去的行爲，同時使我心中爲他起了一種不平的義憤。幾乎是顧不得用一點時間去思索，我便作了一件狠像是帶些詩意的理想主義同時卻也不可否認是散文的拙笨形式的事情。——我狠快地依了他底要求，給他所舉的幾個人每人寫了一封信去。

在那幾封信中，我出了狠大的氣力給帶均辯護。並且盡我感情能衝動到的都以感情去代替了一切應說的話。我完全沒有想到將來和人結怨的這回事，公然把一種會引

172

起對方狂怒的責備一點不客氣地擲向那幾位狠顧面子的留學生底面前。去我記得那幾封信中責備的最厲害的要算寫給曾暨和一位我在上海辦報時的同事叫作羅餘岑的兩封信。原因是曾暨一向愛管閑事，並且常常以舊道德的立場沒有選擇地罵着別個，羅餘岑則是一個曾暨底純粹擁護者，一個曾暨底留聲機。

其實我所以能那樣憤慨，現在想來，主要的還是我意識間狠久積壓着的感情底爆發。我是一向便看不慣那般留學生底虛偽的行動。自從那一大批勤工儉學生被強迫送囘國了以後，在歐洲底留學生除了極少數是思想前進的分子而外，其餘的多半是具着整個前世紀的頭腦的人物，而其中最使人起反感的便是曾暨一部分人和『少年中國學會』底會員。（曾暨和『少年中國學會』是有最密切的關係並且隱隱地支配着『少年中國學會』底全體，像周虛戍，汪廣季，幾個『少年中國學會』底重要角色都是在把曾暨當作唯一的偶像的。）這般人在當時留學生中算是處於小資產階級的地位，一面和名流，政客官費生有着勾結，一面又和勤工儉學生相周旋在一種中間地位所養成的相當勢力之下，他們好像儼然自居爲裁判官一樣常常狠嚴厲地抨擊着別個底行爲，可是他們所抨擊的從來沒有名流，政客官費生在內；同時他們自己底行爲也並不比他們所抨擊的人好出了多少，所不同的便是他們許多事都是避開人做，而別個則是完全公開——就只是這麼一點，這種情形，在我已經是看得實在忍耐不住，不消說一方面他們又在不時地反對着我，這樣一天一天地我已經和這般人在精神上形成了兩個世界。因爲有了這種原來的成分，所以帶均底事纔會使我那樣激動。這個後背是有新舊人物底衝突的意義在活躍着的。——自然，我那樣正式地替帶均辯護，卻也是不能否認的太過幼稚的舉動。我是完全被臨時的感情所迷惑，結果說了許多掩蓋事實的假話：這層，當然是太不高明了。

關於『少年中國學會』在這兒不妨多說一點。這個團體在五四運動以後算是震撼了一時，當時智識界對牠的理想幾乎是達到了最高的程度。但是現在我們回想牠到底有沒有作過些甚麼重要的事情呢？這個我們可以狠快地回答：沒有，除了一點零碎的西洋資產階級底學說的介紹，甚至在那學說本身上還不曾弄明白的介紹而外，甚麼也沒有。這一個純粹小資產階級智識份子底集團，所壞的就是沒有中心的主張，在當時某名流提出的『多談些問題，少談些主義』的口號之下，的確是造成了一種空氣，『少年中國學會』便是這空氣中的最具體的產物。不用解釋，這種口號只是資產階級自由主義者欺蒙羣衆的呼聲，這兒是流露着不願推翻現社會經濟制度的明顯的表示的。當時中國是承繼所謂『戊戌變政』而更進一步的資產階級底大規模文化運動的時期，新興階級底政黨還沒有正式產生，一般小資產階級自然只有跟着資產階級自由主義者前跑，這種集團之不能獨立和立刻要陷於分化在老早便可以看出來了。最有趣味的是所謂『少年中國學會』底會章上面印着幾項空虛的觀念論的抽象名詞——『純潔』

『奮鬥』『互助精神』等等作爲會員同志底信條。並且周虛成還做過一篇文章，論列了好幾條青年應守的道德，似乎特別把『純潔』一個名詞使勁地解釋了一番。汪廣季也狠誇大地發表着言論。若說是青年離開『少年中國學會』那樣『純潔』的團體便再沒有出路：在當時自然會有一部分人去聽這類的話，甚至竟製成了一種表面的勢力；不過團體由牠底社會基礎而得的必然結果卻一點也沒有受這個底影響。到新興政黨在中國抬起了頭，『純潔』的『少年中國學會』便立刻由分化一至於殁落。這時智識份子也開始明白了不談主義只談問題是得不到甚麼解決的，於是首先『少年中國學會』底領導者之一，後來在北京慘死了的李修昌便堅决地放棄了『少年中國學會』，去作另外有意義的活動跟着便是一大羣人脫離了這個團體結果是除了幾個不管事的份子以外，不願退後的份子都去加入了新興政黨，不願向前的份子都歸到曾暨領導的國家主義底旗幟之下。

在我起初是和這個團體曾發生着友誼的關係，原因是牠底幾個重要角色之中有一半便是我在上海編輯『救國日報』時的同事。不過那幾位同事卻在狠早便露出來了和我思想上的分歧。最顯明的是我和他們同主持着那個以單純的愛國宗旨去號召的報紙，可是我卻在那報紙上發表着社會思想的言論，同時還作着工會的活動，——雖然那些言論本身底時代是在成熟以前並且那些活動也是被稚氣和無理解所充滿，但是誰也不能不承認我是已經有了一種和當時環境正相反對的意識了。——而他們則是完全抱着『愛國』的斑剝銅像底腿到死不放本來他們也在勸誘我加入他們底團體，可是在我還沒有正式表示的時候便被我到巴黎後和蕣雲的一場戀愛弄得打斷了下文，關於這層，後來鄭白基（他也是『少年中國學會』底會員，是和我過去大多半的生活最有關係之一人。）曾說是我和郭麥弱幾乎處於完全一樣的情形。這是狠不錯的：郭麥弱本來也和那幾個『少年中國學會』底重要角色有過狠深的關係，以後所以變爲敵對的就是因爲郭麥弱有了和日本女子結婚的一件事。這個現在說起來怕會使人覺得出乎意外，『少年中國學會』在牠底那種莫明其妙的會員底信條之下，支持牠底存在的便是一種虛僞的道德觀念，而那幾位重要角色發揮那種觀念時又以男女問題爲反道德的極致，所以凡有人和女性結合，只要稍微和一向傳說的形式有點違背的，便即刻在他們面前成了最大的罪人了，我還記得郭麥弱還有過一封通信登在『少年中國學會』底刊物上面，那時郭麥弱是纔在開始文學事業，對於『少年中國學會』還像懷着十二分的熱忱，在那封信中極力向周虛成，汪廣季，甚至曾暨懺悔，並且把自己比成了 Amoeba。但是那卻是一點也沒有打動那幾位自居爲少年中國的領導者底心坎，罪人還是罪人。現在我計算起來，和我同時代並且還作過朋友的許多參加那時文化運動的人物，要說到始終一點都不肯轉變方向的，怕就要算他們那幾位先生了：不管時間怎樣使前去的浪潮在他們底身邊濾過，可是總不能在他們底思想和行動上尋出一絲

178

社會進化的痕跡，一直到今天他們還是國家主義政黨中的最上層的要人，

當我在M城時，住在歐洲的『少年中國學會』底一部分會員曾和我有過一次聚會，曾暨也出了席（他雖然一面罵我是應該鎗斃，一面卻還和我周旋着。）發表了許多他底主張。那次我便透澈地看出了那般人之不能夠和我合作。他們和我起了一陣辯論。我是再三地講着一切問題都要從改造整個的社會這一方案上着手並且還舉了所謂人類底永久問題像愛和死等等去作例，說是凡有犯了不正當的愛和罪惡的死的都不是本人底過錯，而是由於社會底不良；他們則另是一種見解，以爲個人底行爲完全要由個人負責，社會是決不辜負個人，同時，改造整個的社會也只是一種夢想，人應當克制自由的私慾，極力維持現社會底秩序。——在這次的聚會上只給我留下了些滑稽的回憶，一位表示很熱心的大塊頭的先生在堅決地說中國非有一個馬志尼不可，但是接着卻又用疑問的口氣說不知道馬志尼底學說是不是和盧梭一樣，若是一樣，那還是沒有好

些曾暨一向便患着有消化不良的口臭病，他一點也不怕妨礙別人，涎沫四溢地在申述着他終身的志趣是要學他的同宗曾國藩。

就是在這次聚會中我得以知道了那般未來的國家主義者正在聽從曾暨底指揮和一個住在國內的會員起着嚴重的爭鬥，這個會員就是後來在大革命中有最大的聲望并且在不久以前幾犧牲了的惲台耀。在那時這個革命者已經和那般先生在思想上以敵人相見了。我還記得爲的是台耀發表了一篇論文，一篇說青年應把身子放到工農方面去的論文，這在曾暨看來簡直是一把闖破神經中樞的斧頭。大概就是從那時開始，曾暨纔用對仇家的眼光注意起「工農」這兩個單字合起來的名詞了。以後他是發瘋一樣地毀罵着工農方面的勢力，幾年後又在國內正式地把他底恐怖病寫在地主辦的『醒獅週報』上與新興政黨作戰。

現在，我們還是回到前面所說的事件上去。我爲帶均給曾暨和『少年中國學會』

底幾個人寫了信以後。我忽然覺得身上輕鬆起來了。那幾封信就是我給那般人的最後通牒，從此兩方面便斷絕了所有的關係。若果我底記憶不錯，就從這時起一直到目前，我是再沒有再見過那般先生中之任何一人，不過問題還不止此，還有我從這時起，也和帶均結束了以往的交誼，在我覺得我替帶均充當了這次律師，已經可以報答他當我初到巴黎時幫助我的種種好意，以後實在是再沒有繼續和他做朋友的必要了我這時的精神好像是突然起了一種變化，——突然堅強了起來。我覺到了我一身的孤獨，決計要以十二分的努力去作自己生活中的安慰，問題卽刻逼到了我底腦中：一個人在這個複雜的社會中要不斷地經歷這樣多的變故，一個人和別一個底心情相差得這樣的厲害：但是怎樣去了解呢？怎樣去解釋呢？苦味的疑惑搖撼着我。終於，我把我拉到哲學底領域裏來了。

一天，我在我新搬來的拉丁區底一家小旅館中開始了我底哲學的研究，我把我許多生物學書籍統統賣給了塞納河畔的舊書舖，連我從日本帶到上海又從上海帶到歐洲的幾本日本文的『解剖學』『遺傳學』等等都一起加在內面這樣所得到的一點錢我拿去從新買了幾本哲學的古典書籍。我和那些"Paramaecium" Lelitinotara dicemlireata" 作了暫時的告別，把我底腦力移到了施比諾沙尼采康德底身上。我德文的知識也便是在這時整理起來的。

智識底大海展在我底面前了。我渴了一樣地在吸着那大海中的水滴，整天地，幾乎連飯也不吃，我常常坐在圖書館中為一個名詞或一個熟語去翻閱着那些裝釘得很古的經典。那種儲藏古今人類思想底精華的聖殿，對於我是特別有一種引力，我一走進到那兒，便再不願走出。有時為了麵包底斷絕，我要寫些法文的短文章寄到M城底週報去的時候，也好像只有坐在圖書館中纔可以寫得成功……

若果我對於一兩百年來的資產階級學術底系統能懂得一點，那就不能不說是這

182

時期的功勞。先是德國十八世紀奔放浪漫熱情的幾個哲學家拉住了我；可是不久我便又在費兒巴哈底著作之前低頭，由實證論者的孔德涉獵了下去，我知道了戴納，居友和其他的人，當時我心目中便定下了一個思想底歷史行程的系表——我把近代學術底進展劃分成了三個時代：第一是精神論和觀念論支配着一切形而上學是這個時代底唯一根據；第二是經驗論和進化論支配着一切，生物學成了主要的科學；第三便是唯物論的時代，自然是經濟學作了基礎。這個劃分的形式一直到現在我還沒有發現有大錯誤。要是從十八世紀初葉算起時，那我這個系表中的第一時代底階級背境恰是從封建階級到資產階級，第二時代底階級背境則純粹是資產階級，第三時代自然是新興階級了。這個或者機械了一點，但是我敢說我當時能有這樣一個學術上歷史進展的觀念，便是我後來能徹底轉變方向的注脚。

本來是解決自己所懷疑的人生問題，結果卻是沒有做出自己所要得的答案，僅僅，我還記得是把尼采讀完不久的時候，我感覺得這位強者的哲人底理論恰和托爾斯泰是分成了南北兩極，我就想在這兩者底中間採取一種適當的態度作爲我底人生哲學。我把這種見解曾做成了一首長詩，用了『與二大哲人的對話』這個題目，內容是敍述我在幻覺中先看見尼采，繼又見了托爾斯泰，在許多冗長的會話之後，尼采在我底左邊消滅，托爾斯泰在我底右邊消滅，我在他們兩個遺留下的巨大足跡底中央前邁了去。這首詩好像是佔滿了十多頁甚至二十頁的狠大的原稿紙，並且能夠避開觀念和教訓的堆湊，音韻的技巧也不算太壞。我把牠寄給了當時上海『時事新報』底『學燈』副刊，不料被編輯者壓了下去，沒有使在我底切望中出世，但是不知道是甚麼緣故，隔了兩年以後，卻又突然被發表了。不過這首詩底命運卻總是不幸的，牠竟被『學燈』底編輯者割去了十分之九的血肉，把十多頁的一首詩删成了不到一欄的幾行速寫，同時，還沒有印出作者底名字，使人看去，好像是出於編輯者底手筆一樣。我寫信到『時事新報』要求把我底原稿退回，但是沒有答復。我底人生哲學就這樣落在了空虛的墳墓裏。

我正式從事了文學的創作也就在這個期間。——本來，我著作家的生活是開始得很早的！距離這時將近十年了的當我正十三歲的那年，我已經是本省「秦風日報」底投稿者之一，以後在十六歲時又是「秦鏡報」底唯一的負責編輯人。文學底醉人的杯子一向便在我面前閃着牠可愛的泡沫，我還很清楚地記得我在日本時那種努力想在過去舊文學中佔領一個坐位的慾望，那時我甚至還曾經用了一種地方藝術的觀點給李商隱注釋過半部詩集；在上海辦報時雖然處於那種極端的政治氛圍之中，我卻還是不曾和文學絕緣，並且新文學的試作的慾望在那時便跳動在我底手指上了。不過，這些都不算甚麼，要說我真正是開始文學的工作，那卻不能不從我在巴黎的這時算起。

一切現象都有牠們底因果關係，我所以能在這時正式走上了文學創作的一條路上自然也是很容易解釋的事情。過去在舊生活中滾來滾去的我，自己努力的目標本是在政治上的，而結果好像是一點都沒有得到自己所希望的影子；這個失望的苦悶會把自己拖到另外一種方式的活動上去。——這是一層原因。在這時我算是過着一種由混亂的東方遷移到所謂文明發達的國度裏的生活，這生活給了我以環境上的變化，而在這個變化之中又有一種矛盾的刺激，這使我要尋求一個表現自己感情的機會。——這又是一層原因。其次，我由藹雲得來的許多痛苦也在逼着我去發洩，不消說也是使我走到文學創作方面的一個附帶的理由。但是這都是僅僅從我個人際遇上出發而來的解釋，要是從整個的時代來說時，那這時中國底浪漫運動正要起來，我不能夠否認我也是這時會中之一人，所以，必然地，一向傾於文藝的我在這時要有創作落地。

在中國，前世紀底九十年代中是一個重大的時期。民族覺醒的曙光，資產階級底抬頭，城市文化運動，一切一切都從這個時期開端。我們撇開中日戰爭本事所佔據的一八九四到九五的兩年，從一八九六算起一直到大革命前夜的一九二五，恰是整三十年。在

186

這三十年間政治的活劇眞是演到波詭雲詭的地步。承繼資產階級自由運動的『戊戌變政』這一 Prologue 而來的『五四運動』狠確切地是一個發揚『戊戌變政』的 Sym ph nie. 在這個偉大的曲奏之中資產階級把牠底思想算是給了全盤的解放和全盤的建立:對於傳制度的猛攻,對於孔孟學說的推翻,『科學與德模克拉西』口號的提出;同時文學工具的改革也挾着高潮的勢力而來,——這樣,一個資產階級底文化基礎在我們面前成立了。在這個文化基礎上,一定會有一個文學運動立刻跟着產生,並且,必然地會是一個浪漫運動。

一九二二年便是中國文學底浪漫運動開始的一年,擔負這個使命的便是『創造社』這一文學團體。——而就是在這一九二二年底前一年,"Sturm und Drang"底成分便在各地醞釀起來了。

這在表面上好像是一件奇怪的——但實際上必然的而不是偶然的——事體:當

我在巴黎開始了我文學創作的時候，遠隔重洋的日本便有郭麥弱幾個人在作着同樣的工作，並且還準備聯合同志以互相交換意見和共同努力。一天，我接到日本朋友的信把郭麥弱介紹給我，幷且附了他的一首詩的創作。以後又經了幾次的間接通信，我和郭麥弱之間便變成了直接的關係。『創造社』的這個名字，便在大家底信中常常返復地提說着，不過在日本和巴黎還未曾開始這樣的通信以前，從日本從巴黎寄出的作品却都早已飛躍在國內的各種刊物上了。

這時我給鄭白基的信上寫道：

『是的，人生處處是罪惡，處處是痛苦，但是要知道，罪惡，痛苦，都帶着有催人前進的意義。我敢說天下事都是兩面互相影響着的，最反對的方面也就正是給了很大的力量的方面。沒有矛盾，人類要成就事業大概是不可能的，所以，我們不要當經過「不完全」

時，忘了去求「完全」……

『我先批評一點別人底藝術。我們先就日本底文學來說，像夏目漱石底「餘裕」派的文學，那決沒有甚麼價值。因爲我們既是人，就當製造人生的文學。像他在高濱虛子底「鷄頭」序中宣言的「不觸着之小說，」無論很難做到，——就是他自己底小說又何嘗都是完全不觸着的小說？——即純粹做到這等地步，也不過是一種無用的作品。換過來說：我以爲就是他主張的「低徊趣味，」也只有「觸着」人生的小說纔配有。他底餘裕派的文學，其實就是游戲派的文學，那是會使文學一直地墮落下去的。還有，像森鷗外，更是沒有道理，他公然表明他是無論做什麼都是游戲，這個，我們暫且不要說到藝術，首先就不是做人的態度，……

『我總覺得藝術的製造應該站在實際方面，我們底實生活已經很夠用了。若是我們身邊的材料都不知去用而在身外去尋求藝術，那是糊塗而可憐。再進一層說：藝術並不是人底娛樂品，藝術是促進人生的改造的一種工具；藝術不是專為安慰人底目前，藝術是還為安慰人底前途。……

「我們可以得一個結論，人生就假定是沒有希望，文學家也要努力去觸着牠。就是人生真已達到像永井荷風所謂「冷笑」的程度，我們也不能學森鷗外那種用游戲去應付的辦法。人生底「不完全，」便正好使我們去求「完全。」……』

在這些話裏，可以看出我這時是以我相當混亂的哲學觀點去檢討着藝術的。這些話裏所含的理論雖然和我後來一部分創作裏的表現像是有些矛盾，但是這兒却活躍着一點時代底精神，那便是浪漫時代底一種氣息的洩露。尊重人生，這正是資產階級開端自由運動時所奉行的信條我們知道狄懃盧曾勸戲劇家不要離開實際生活同時又主張藝術底任務是在讚美壯偉的善行和敬惜可憫的際遇等等，這正和我這兒底見解是完全一致。

這時我最努力的作品是一首長詩『支那』在這首詩底題目下，我還用了"Paradoxes autobiographiques" 這樣一個小題目。內容是用中國封建社會中許多悲慘的現象作背景，敍述着我從幼年一直到壯年的生活，這首詩裏面所流貫着的熱情一直到現在還使我一想起身上便要來一種顫慄，我還記得牠底最後一段中有這樣兩句：

二萬五千尺的天山呀，你怎樣還不倒下來，倒下來塌在我底身上？

一千九百六十里的長江呀，你怎樣還不氾濫上來，使我連所有的靈魂一齊淪亡？

若是說浪漫主義的特徵是 Individualiem 底抒情的發揮時，那我這首詩確是做到了。一面，我在這首詩裏還用了許多科學名詞，像"Fluorescenzphnenomen""Faktorenkoppelung"等都算是打破了一向的慣例。現在我記不起這首詩共有多少行，只記得我把牠寄出的時候是捲成了一捆，幾乎像一本小册子一樣。牠底命運是由巴黎走到日本，經過幾次展轉地傳閱以後，又由日本走到上海。以後便失了蹤跡。

這時我在巴黎認識了一位和我很有幫助的朋友，不可不在這兒把他特別記了出來。這個人是我們通常所說的『奇人』；他底姓是卜里葉，名字是法國人一般常用的羅伯兒。他本在外省一個圖書館中充當着祕書，因爲他底思想是接近 Marxism 的社會主張的思想，所以被當地政府逼迫着他離去了職位。他底一條左腿已經被大戰奪去，他在他失掉了的腿底位置上裝置了一條假腿，走起路來總扶着一根手杖。可是他好像對於他底殘廢並不去怎樣關心，每天只是很有精神地到處跑動着，他來去的領域是非常的廣泛，除了工會和政治集團而外，大多數的新聞記者，文學家，藝術家，教授，學生，都和他

192

有私人的關係。他底博學也是很夠使人吃驚：他不但一般科學有相當的素養，並且還具有特殊的文學上的才能；此外他還懂着音樂繪畫建築等專門藝術。但是還不止這些，因爲旅行的地方很多，他語言學底知識也是很好的，所可惜的便是他具着一種不愛著作和有著作不愛發表的脾氣，他是可以費上整天的工夫用口回答人領教他的問題而不肯提筆寫一個字。他一生出版的著作只有薄薄的一本地質學上調查的小册子。他也從事於戲劇的創作，但是一直到原稿變成了黃色，還不會和社會上任何人見面，他幾乎是把他所有的精力都送給實際的活動，他好像以爲所有的文學的工作在一個社會未曾改造以前是占着十二分不必要的地位似的，他對我的幫助很大，不但在學問上他是我底金庫，就是我得以對於歐洲社會有一點表面的認識也是他底功勞。他介紹了我許多朋友，生活方面也蒙他常常地接濟。這位社會主義者的奇人算是和我前後往還了不滿三年，便死於 Tynhus bdominalis。他一生獨身，死時大概是五十歲的光景。

我和這位朋友初認識的時候是在拉丁區底一家咖啡館裏面。他正和一個滿口白鬍鬚的老頭兒高談，我無意地加入了他們底關於歷史的辯論，我底論點不期和他站在一條線上，並且越說越接近了起來，這樣，我們便狠快的成了朋友。那位老頭兒原來便是法國文學重鎮的阿那托爾法朗士，在辯論散場的時候，這位偉人儘管地聳着肩膀表示自己失敗後的憤怒並且口裏還不斷地咕嚕着說『不管怎樣，我總是懷疑，懷疑……』

我澀了卜里葉底介紹，還得以認識了海洋作家羅狄和其他一些文學作家。立刻，文學成了我環境搆成中之十分之七八的原料。我放棄了在法蘭西學院聽的哲學講座，我在巴黎底文學家之羣中交際了起來。

這時，巴比塞底『光明』週報正由一張狠小的報紙改成了雜誌的形式。巴比塞一篇批評羅曼羅郎底主義的文字激起了一場論戰。羅曼羅郎表示出了他改造社會的主張，他以為甘地所取的手段便是唯一可讚美的手段。人道主義與暴力革命的主張在雙方文字中狠顯明地爆着牠們底火花。這在我，羅曼羅郎和巴比塞都不曾見過面一向羅曼羅郎是我表敬意的現代作家之一，而這次我卻像被巴比塞吸引住了。但是同時我卻像感覺到巴比塞底文字中缺少一點甚麼成分。不過我又不能明確地指出。這個，現在自然明白，我所感覺到巴比塞文字中缺少的成分便是階級鬥爭的歷史發展和經濟決定論的說明……這是巴比塞這人一向的缺點，直到現在爲止，他底議論中還常充滿着觀念和神祕論的瘴氣。我敢說，巴比塞要是再不前進，一到歐洲偉大的事變到來時，那他是狠危險的。因爲戰鬥的唯物論底歷史的進展必然地不能容一個不理解人類解放過程的說道者底存在。巴比塞過去所有關於革命的議論，我總覺得有些地方和馬克斯所指摘過的鮑埃爾有些相像。

不過在當時，巴比塞和羅曼羅郎底論戰卻是一個現代文壇上不可泯滅的事實。這個至少在智識界面前展開了社會思想之兩個派別，至少可以使智識界對於空想的世界主義和實際社會革命的主張有一個思索的機會。在當時不成問題地凡是頭腦明晰的人一定會從羅曼羅郎底言論中認出了不相信暴力的人道主義在暗地和資本主義攜手的陰謀。這場論戰確算是搖振了一時，僅就我在巴黎出入的幾個文學家底集團中便可以看出這種情形，幾乎是十個人有八個人總談論着這件事的。但是這兒還得有一點聲明，所謂搖振一時，却只能限定一般和一向傳統社會有些隔離的人，文學家像阿那托爾法朗士和羅狄便就不同：我去問法朗士關於這事的意見時，他和我第一次在咖啡館遇見時的態度一樣，結果是他對於任何方面都要懷疑；羅狄則更乾脆得狠，他對我說他從來就不管這些徒去自擾的爭論，——像這類的人是怎樣也不會受這場論戰底搖振的。

說到羅狄和法郎士，這兩個在法國文壇上佔過極大勢力的人物，或者讀者願意我在這兒多說一點。不過這在我却是狠困難的事，因爲這兩位巨人和我目前的心境太不

196

相同，要去追記他們，實在使我感覺不到甚麼興趣的。記得有一位批評家說羅狄描寫勞苦民衆底生活正和高爾基一樣，這是大錯特錯，羅狄底作品我從前也曾拜倒過一時，他底充滿詩意的描寫確是能夠使人迷戀，但是狠奇怪的是羅狄底作品能夠那樣不含蓄地描寫水手漁人，水兵殖民地兵士等等底生活，而羅狄本人卻始終是爲帝國主義政府服務的一個忠實的官吏，他自己居處底奢侈和他性格底貴族也和他描寫下層人物的一部分作品好像沒有聯繫的可能，這個要是用得着我們來作一番解釋時，那便是這一位巨人只是站在他自己階級底圈子裏面去流覽那般勞苦民衆底生活的。他留意勞苦民衆底生活只是爲找他做詩的材料，他同情於那些人，也只是站在上層的地位去洩露的一點悲憫的情緒，或者可以說他所以爲他底著作採取那類材料，只是想適合於他自己已有的憂鬱的心情，只是想適合於他自己習慣的陰暗的筆觸，總之爲的是他自己，此外再沒有甚麼了。我們不否認他是一個偉大的作家，但同時也不忘記他是一個徹頭徹尾的資產階級底偉大的作家。他雖然一樣在描寫着勞苦民衆底生活，但無論如何是不能和高爾基相提並論的，——好，這便是羅狄，其次，法朗士，這不消說更是一位世界的巨人。他底文學的才能確是不可多得，他底機智和駁雜也確是能夠出衆。但是這些可稱讚的特點卻不能掩飾他主要的意德沃羅基底貧弱，他一味的嘲弄着世界，他用個人享樂的態度從事着他底製作，他把一切事物都納於他懷疑的哲學底懷中。我們可以說在法朗士底面前，甚麼都要失掉了牠底眞實性了！——正確的批評家說他代表資產階級臨終的智慧，這是一點也沒有錯誤，他自命是社會主義者，他底作品雖然有時也在攻擊着社會底現狀，但是我們到頭還只能把他供到資產階級底神堂裏面去，記得一位俄國底作家到巴黎會了法朗士後寫道：『全身柔軟……具着亨利四世等所喜悅的廷臣底姿態……』——這印像不但是恰切，並且還是妙到不能再妙了。

我和這兩位巨人的交情自然是都談不到甚麼親密。羅狄並不常到巴黎，見面時他

198

總喜歡說到東方尤其是中國，他好像始終還不忘記他早年浪遊過的地方，用一種詩人回憶的神氣他總在不停地追懷往事，我們之間沒有過甚麼特別的事迹：他看我是一個年輕人，我對他也不曾抱過分外的希求，同時他那時也已經像是有些衰病了。法朗士底家中我倒是去的次數比較多點。這位懷疑派的大師有時要我譯幾首李太白底詩給他聽，我也從他學得了些法國文學史上的智識。有一次他邀卜里葉和我聚餐，坐中還有一位是西班牙底名人伊巴涅支，——在我，這算是看見伊巴涅支的唯一的一次。這人和法朗士恰是一個相反的人物，滿臉上突露着自負和剛強的神彩，眼邊和唇邊閃出了政客甚至官僚的習氣。席間不知道是怎樣開頭，法朗士忽然暢談起了社會主義，並且說自己是一個包爾塞維克，眞正的包爾塞維克。他底話好像狠長，越談越起勁。我注意着伊巴涅支，這位露骨的民族主義者起初在一聲不響，等到法朗士底話講完後，突然爆出了一陣憤恨的喊叫，我不禁吃了一驚。用着西班牙音尾的法國話這位民族主義者說道：

——收起你底包爾塞維克罷！你憑甚麼能坦白地講這個名稱呢！我只知道共和，不知道甚麼包爾塞維克：但是你若是要自命是一個包爾塞維克時，那你先去進幾次牢獄後再來誇張：不然不然我勸你還是談談女人和酒比較好些……

出我意料之外的是法朗士聽了這話一點也不生氣，好像只簡單地答了一句，說他本來對一切便是懷疑，意思似乎是說就是他自命也是一員的包爾塞維克到頭也還是使他懷疑，所以他儘可以不去行動。不知道是一個甚麼念頭在我心裏起伏了一下，從這次以後我便對法郎士疎遠起來了。

這時華盛頓會議已經開幕，中國除了政府底代表而外，還有幾個國民代表。留學生對於那幾位國民代表興奮極了，以爲他們定可監督政府底代表使中國在華盛頓會議得到狠大的勝利，有些人組織了一個後援會，留學生和華僑在主持着會事、到處去接見各國底政府要人，到處去發布請願的文字：還有許多留學生在互相聯名做些文章，在歐洲幾種報紙上發表內容大都是一致地擁護參加華盛頓會議的各強國，同時在肯定英國和美國一定可使中國有種種的便利。中國底國民代表也不停地從華盛頓打電到美洲底公使館及其他團體，報告說英國和美國，——特別是美國，一定會出全力給中國以援助：：

朋友邀我去參加後援會，我拒絕了。我當時雖然還不能徹底明瞭世界大勢，但是對於各帝國主義的幻想却是一點也沒有。中國所派的幾個國民代表對於我更是距離太遠：我覺得他們並不能代表甚麼國民，不過是幾個新的官僚罷了。我覺得沒有把自己精力獻給這個無意義的運動的必要。

當英國和美國在華盛頓會議對於增加關稅，退回租借地，考查撤消海外法權等提案給了中國代表一點假的面子的時候，在歐洲的留學生都好像高興得忘記了自己中國駐美的名流，政客，都狠自滿地宣傳着說中國從此便會政治獨立，新的轉機便要降臨，——說起來可憐得很！那些名流，政客，只顧着一時說得大快人心，可是等到以後旅順大連，威海衛等地事實上不見退回，治外法權依然照舊，進二五附加稅的實行也感着困難的時候，他們卻把腦袋一縮，一句話也再不提起了，當時中國底前進政黨纔開始成立，雖然對於華盛頓會議底前途已經有了預先促醒民衆的宣言，可是一般人對於帝國主義還沒有明白牠底性質，衆之又有無恥的名流政客等底欺蒙，所以竟至像服了麻醉劑一樣的糊塗。一直到現在，那些對於華盛頓會議做過禮拜的中國底資產階級還要避免提起這次會議所造成的英國美國和日本共同侵略中國的這一歷史的事實，這簡直可以說是『喪心病狂』我們必須承認，華盛頓這次會議使英國帝國主義和美國帝國主義底對華政策得到了成功，這是以後英國，美國，日本，——這三個帝國主義者更進一步為佔有中國去演那不斷互相衝突的武劇底一個開場白。

那幾個國民代表中有兩個從華盛頓到歐洲來了。巴黎底留學生在大規模地準備着開歡迎會。朋友又來邀我參加，這次卻使我發了脾氣，我老實不客氣地說我與其和那般代表周旋倒不如找「彩雲」開開心去，——這話成了當時幾個留學生提到我時常引用的成語，就從這時起，我便好像成了一部分自負爲愛國者所嫉視的敵人了。

歡迎會終於得很是熱鬧，代表們底瞎吹留學生們底瞎捧……昏天昏地……

可是我卻實行了我底話，恰在這時我去到了里昂

楊貴妃

佛殿之後方。

場上有窗格的紅門依然緊閉。

石堦對面牆缺處底大蓆依然時時被風吹動。

天氣漸入了昏暗。

第一侍者與第二侍者同立堦上。

第一侍者

風還是這樣的大，並且簡直變成狂吼的了……我眞不曾見過這樣大的風……你看，你看，滿天都是黃沙，都是黃沙……

第二侍者

其實天上還有太陽，不過顏色太暗澹了……那好像是一個土色的盤子，一點光彩沒有的懸在天上，眞奇怪！牠怕要墜落下來呢……

第一侍者

那是太陽底影子……可是這樣的天氣眞是可怕！我想除了共工和顓頊大戰的時候，怕也再難見這樣的天氣罷……

第二侍者

可惜詩人李白不在這兒，他若在這兒遇着這樣的天氣，必定可以做成一首悲壯奇

206

特的長詩。

第一侍者

算了！你還講甚麼詩人？詩人都是些無用的廢物！我們長安底詩人不知道有多少，但是，現在呢？現在呢？……他們只是當着國家無事的時候，唱一唱他們作夢的歌曲，可是一到了時代轉變的重要期間，便只去求個人底平安，民衆和他們好像是完全沒有關係的！……你說，就是曾被一時稱誦的甚麼「清平調」到底有甚麼用處？到底對於民族，對於國家，有甚麼用處呢？……

第二侍者

……你說到這層，我倒想起宮中的那般梨園子弟，不知道現在都是怎麼樣了？……

第一侍者

哦，梨園子弟！那般專門向權貴賣笑的人，還不是同時下的詩人一樣！

第二侍者

你怎麼只是在信口罵人？你底性情眞壞，眞壞……

（盧娘上）

盧娘

你們倒很安閑，還在這兒發些無聊的議論，你們可知道現在貴妃底情狀嗎？

第二侍者

哦，貴妃怎麼樣？

盧娘

貴妃已親自向兵士宣言，說她願意尊重羣衆底意思，爲國犧牲。高力士已拿了一條很長的白綾，還帶了兩個執刑的人正在佛殿內邊等她呢……

第一侍者

啊，她竟然有這樣的勇氣！

盧娘

並且她到外面看那些難民去了。她要在她生命告終以前，和民衆作一次誠懇的接近……

第一侍者

啊，這眞難得！這眞是我所料想不到的！

第二侍者

……聽，誰來了？

盧娘

哦，是她底脚步……

（楊貴妃由殿前緩步走來。她底眼光一直向前，揚着頭像是向空中尋看甚麼似的。一種異樣的病

態的沈靜，決絕表現在她底被淚洗得完全沒有了血色的臉上。第一侍者，第二侍者及宮娥都屏氣致敬）

楊貴妃（好像很久沒有說過話一樣，聲音枯塞得快要半啞了。帶着一種神經的劇變，她勉强地斷續地向着前面的天空訴說着）

這兒總可以看見總可以看見……那遠處，那遠處……是這個方向了！那遠處霧濛濛的一片，是的，是的！——唵，長安呀！長安呀！我們要永別了！你底繁華，你底偉大，我至死追念着，至死傾慕着。我知道我底罪過，我知道我現在是應該這樣死的，但是，長安呀！我始終愛你，我始終愛我們中華民族，我是只要你健在，只要我們中華民族健在，我個人底一切是儘可以取消，儘可以滅亡的……唵，長安呀！長安呀！我們要永別了！你是我們中華民族產育文化的都城，你是我享受人生苦樂的地方，我因你成就了我過去種種的生活和最後的人格，你也因我增添了繁華富麗，又陷入了荒廢敗傾……——唉，我也不知道我怎樣成了這

210

樣一個與民族有關係的人…！但是長安呀！在你那里我驕傲過，嫉妬過，在你那里我受人尊敬過，也受人指謫過，並且在你那里我歌過我不願意歌的歌，舞過我不願意舞的舞，我做了許多忍辱的事，許多強白爲歡的事，不過，在你那里我却受過眞正愛情的陶醉，眞正愛情的甜蜜，眞正愛情的熱烈和眞正愛情的痛苦…（她突然止住了她底說話；她底眼光改變了注視的方向，向遠處尋看了一刻，最後乃認準了一個方向，很興奮地叫出）——哦，哦那兒是河東！哦哦，那兒是河東…安祿山，安祿山，安祿山…唉，別了，別了，永遠地別了！現在你那裏知道我是這種情形——你那裏知道我底哥哥、我底大姊，我底三姊都慘死了呢！並且你那裏知道我馬上就要絕命，就要和人世底一切告辭！但是這不是你底過失，我知道你是愛我的，你是千眞萬眞的愛我的…（昏迷的態度）哦哦，安祿山，我看見你了，我看見你了！我看見你正是全身的武裝，騎在馬上，正指揮着你周圍成千成萬的戰士…哦哦，你眞英武！你眞英武！我知道你那狂熱的血液中正流着愛情的溫柔生命…哦哦，我愛你，愛你！你那雄偉的身裁，你那強健有力的氣魄使人一見就感着愉快與渴慕…我也知道你不是我同種的人，但是，但是我總覺得全中國底人都沒有你那樣能使我感着愉快，感着渴慕的！我總覺得惟其你不是同種的人，纔更覺得可愛！…——唉，愛情唉，祖國我被你們兩個苦悶到不能解決了你們兩個在世界上就是這樣的衝突！難道你們就永遠不能調和，永遠要犧牲着無數的人類？…——唉，總之，別了，別了！…安祿山安祿山，你現在雖然還是那樣的英勇，那樣的奮鬥，只怕一得到我死的消息，也不能再生活下去了！…

（高力士上）

高力士（悲苦地）

貴妃，甚麼都預備好了…前面底兵士催得很緊急呢…

楊貴妃（梗塞而昏亂的腔調）

唉，時候到了！我知道時候到了！…長安…河東…中國，哦哦，安祿山，安祿山，我底力，我

212

底光明，我底生命……我底生命，爲祖國死……爲愛情死……死，死……

（突然一陣大風，吹起很厚的砂土，迷罩了場上人底面影）

鳳儀亭

董卓府中之後花園。

場上設園之後門，由此門可看到園內。園內有亭聳立，亭上有匾，書『鳳儀亭』，但幕啓時爲夜色已降之時，故匾上字隱不可見。

呂布從園外登場

呂布

我已經等了她兩晚了。咳！這種滋味，算是我今生第一次纔嘗到的：這簡直要把我難過死了！我纔知道一個人等着和他底情人會面是怎樣的一個情形！咳！這兩晚我在這兒腿也站酸了，頸子也伸痛了，見一條黑影便以爲是她，等到趕上去的時候，却又撲一個空！再這樣等下去，會把我等成一個精神病的人呢……可不是？我現在怕已經有了精神病了呢！我底耳也鳴起來了，眼也花起來了，——哦，兩夜底成績！……說老實話，我這兩夜所受的苦比甚麼都厲害呀！奇怪！我曾在戰場上幾夜不合眼，都沒有覺得苦過，爲甚麼這次只有兩夜，却弄成這樣呢！——但是，但是這有甚麼要緊喲？我心中却始終是很高興的！這種苦纔一到我身上來時，便有希望也來把牠底力量同時送給我，我立刻便覺得我底身體非常強壯，並且有抵禦一切苦的本領了……——且住，我想那個怪物婦人總該不至於把我那封信壓下不送罷？若是真的我那封信被那個怪物婦人壓下了，那纔真是要命的哩！不過，我想不會……——哦，是的呀！今天是十五呢。今夜是月圓的時節，貂蟬她說不定會到園中來拜月的……對了！今晚大概是可以見她！可以見她！對對對今晚今晚！……不過呢，現在怎麼月亮還沒有出來喲？今晚天上有些雲呢。討厭！妙的在今晚天上却有些雲！……——咦，不，這雲或者不大礙事，等一等會被風吹散的。並且月亮已經露出些影兒來了……——哦，快出來罷，我底救命的月亮！你不出來，她是不會出來的！……哦，她她就是我底月亮！我在這兒，我在這兒是企望着你這個月亮去引我那個月亮呢！

（李儒由後方上）

李儒（拔出劍來由呂布身後猛斫了來。）

着！

呂布（避了開去，急亦抽劍轉身相向）

是那一個？

李儒

那一個？眞的你這對淫眼連你應該怕的人都不認得了嗎？

呂布

啊，李儒！…你要怎麼樣？

李儒

你要問我嗎？那麼你聽我說：我從娘肚子裏出來的時候，便帶着一種怪脾氣，凡是我喜歡的東西，不願意別個去碰牠一碰，要是有人犯了我這種忌諱，那我總在我力量能做到的以內要使那個人去吃些虧的。

呂布

你說這話是甚麼意思？

李儒（不願）

218

等到我長大了的時候，我這種脾氣便也跟着我底歲數長大了。我家中曾有一個婢女，是從江東買來的一個很漂亮的女孩子，不知道怎的，我愛上了她，但是不久我便發現一個常到我家中來的我底同窗也在想和她勾搭，於是我便在一天下圍棋的時候，和我那位同窗反了臉，用我身上帶的一個短劍把他刺死了。

呂布（插劍地上，以兩手叉腰際昂首凝視李儒。）

你是在向我報你底履歷嗎？好，說下去！

李儒

一直到我到西涼從軍的時候，認識了一個歌妓，她底名字叫做小嬙，唱得一口好吳歈和好蔡謳。不料被一個人把她結交上了：那個人或者你也曉得，他姓馬，名叫備僕，是當過幾天虎賁中郎將的。那總算是一個有來歷的人了，但是因爲他愛了我所愛的人，所以我就不管三七二十一，把他刺死在一個橋頭上了。

呂布
還有嗎？
李儒
還有前年我在洛陽的兩件事，你也不妨聽聽。一次，我被一個美人迷住了：可是那時我底夫人還未曾去世，不知道怎麼樣弄的，她竟然知道了我那個事情。因爲要把我和那個美人拆開，她便買通了我底一個朋友，要他也和那個美人去要好。這個，你要曉得，牽扯的還有我底夫人的，但是，我不管，當我碰到我那個朋友到那個美人家中去的時候，我就拔出劍來把他殺了。再有一次，我好像是上了一個當，我對一個不愛我的婦人有了情意了。那婦人是一個天生的妖怪，在人前一味裝出假正經的樣子，其實却是一個專偷男子漢的老手。後來我調查出了那個在洛陽出名的勇士叫傲雋化的是她底情人，我便在一天晚上去找那個勇士，和他鬥了約有半個時辰，但是結果也是我把他殺了。

220

呂布（強自忍抑）

你說完了嗎？那麼請你再把你說這些話的目的解釋一下給我聽聽。

李儒

你這頭腦眞的塞滿了淫亂，就好像壞的雞蛋殼裏塞滿了臭蛋黃一樣，竟連一點好的空隙都沒有了：難道我說了這 天，你還不明白嗎？我底目的是爲叫你知道我一向的脾氣、老實說這個高牆裏邊有一個女子，被我愛着也被你愛着，不過她現在是睡在一個踏在你我頭上的人底懷裏的，——這個不用說，我們都在嫉妬着那個人，可是我底性情却有些傻氣，雖然獨自一個人氣得跳來跳去，可不願意作甚麼鬼鬼祟祟的勾當。我只等着有一天能堂堂正正地把那個人砍死，使我愛的女子不能不跟着我來。同時呢，對於同我處在一樣地位也一樣愛着那一個女子的人，也是不肯輕輕地放他過去．——這個人就是你！我說的意思是我恨你已經恨到骨髓裏去了。這個有兩層原因：第一，你專門用鬼鬼祟祟的伎倆去誘惑女子，在我看來是一種下流東西底行爲，並且你誘惑的又正是我所愛的，所以，我非殺你不可；第二，我正準備着要和我那正式的情敵作戰，在我這準備的當兒我先得把我底脚下打掃乾淨些纔行，這就是說，你儘在這兒鬼頭鬼腦地東鑽西鑽，這是在絆着我底脚的，所以我更非殺你不可。

呂布

好！那麼着你試試看罷。（從地上拔起劍來。）

（二人互鬥。）

李儒（劍落地）

唵，我底劍落了！

呂布

拾起你底劍罷。我決不像你，專在人手裏沒有握着劍的時候去暗算人。

222

（李儒拾劍二人復鬥）

李儒

噯噯，怎樣？我被刺了！（倒地）但是，不要緊…我還可以起來的…（起來復倒）噯噯，便宜了你這小子…（死。）

呂布

起來呀！怎麼不起呢？——（以脚踢李。）你要裝睡嗎？——哈！死了！這樣快，就死了！適纔還說了那麼一長串的獨白，怎麼忽然就死了！…哈，你這只會說大話而沒有眞實本領的草包！你底口那樣會說，你底手却怎麼這樣不行呢？你這口硬手軟的滑稽脚色，現在你底口也跟着你底眼一齊閉起來了！這可只能怨你自己：因爲這是你來尋死的…哈！我們兩個從此便再不會見面了，你也再少吃些乾醋罷。——哦，我底劍倒被你弄汚了半截去了！對不起！把你那件很華貴的衣服借來用一用，好麼？（他用李底衣服拭去劍上血跡，然後歸於鞘中)。借光借光！——唉，不對，你睡在這兒，倒是有點絆我底腳呢……好，我把你遷到那樹後邊去罷……（拖起李來。），唵，老兄你底骨頭眞重呀！（丟李到牆後方底樹後，再向牆後作鞠躬狀）。恕不陪了，現在我祇你安靜地休息下去，祇你安靜地休息下去。不陪了。（復轉身向園門前走來）。

（月光大放）

啊，月亮出來了！這十五底月亮，眞是惹人愛呀！現在好像世界光明起來了，我底心中也像是減少了許多黑暗……啊現在是時候了，這個月亮是已經出來了，我那個月亮大概也快要出來了罷？——怎麼？難道她還不出來嗎？就是我不約她，今晚她不是也應該到這後園來拜月的嗎？啊，現在是時候了！……——哦，我試向園門裏邊去看一看，或者她已經到園中了呢。（他走到園門口向內張望。）——咦！沒有，這是怎麼弄着的？我知道這後園是接近着後廳的。由她住的地方到這兒來應該是很近很近，但是——

（園內深處忽爆出笙竽聲音。）

後廳底那些歌女又在奏歌了……——哦，這月亮眞是明呢！這些聲音走在了這月光下邊，好像是分外的幽揚了……

（此時貂蟬已出現在園內之鳳儀亭中，她正向月膜拜。但是呂布却沒有看見她。）

（園內深處有清朗之歌聲隨笙竽而起。）

歌聲

十五月光明，
月光天際生，
難得此良宵，
照與有情人

十五月光高，
月光出雲梢；
天下有情人，
莫負此良宵。

呂布

好聽呢！這是『十五月光歌』了。——這些歌女也真是可憐呢，她們整天整夜地地關在這高牆裏面，唱了又唱，虧得她[illegible]倒不覺得疲倦，其實聽的人怕都要聽疲倦了。她們這些人底一生就在這高牆裏面這樣消磨着下，我想她們唱的時候怕也是和着眼淚在咳那些歌詞的罷？對了，怪不得她們唱的這樣動人，原來她們也是借着這個來發洩她們自己心裏的悲苦的……——哈！算了，我被這幾聲歌聽得想起不相干的事體來了！我管這些幹甚麼？算了，算了……不過，現在怕已經快到夜靜的時候了，她怎麼還不出來！難道今晚都不能——

（笙竽之聲又起。）

唉，又來了！

（歌聲復作。）

歌聲

歎彼韶光兮難留：
又逢月光兮圓在當頭。
月光如水兮起人情思，
韶光如水兮一去悠悠。

韶光一去兮永不再還，
月光照人兮皎皎空間。
勸君行樂兮看此月光：
待到來夜兮難圓

呂布

啊，這歌……啊，這歌……（他把身子靠在了園門上仰頭看着月亮，好像中酒了的一般。）

（此時貂蟬已由亭中走下，緩步走至園門口。）

貂蟬

在這兒看月兒比在亭中好多了。——咦，園門開着呢……假使他——假使他現在能

228

到這兒來時，那我一定——（她不覺走到園門外了。）

呂布（回首）

啊，貂蟬！

貂蟬

……誰？

呂布（他瘋狂一樣的跪在了她底脚下，用手抱着她底兩腿用口在她身上亂吻。）

是我！是我！……你不認得我嗎？……是我，呂布呂布……我是呂布，你在這樣明的月亮底下，還認不出來嗎？……我在這牆下已經等了你兩晚了，你果然出來了……我知道你接到我底信，一定會來會我的……果然不錯，果然不錯……——啊，現在，你跟我走罷！我甚麼都預備好了……我們趁這夜色逃出長安去罷！就這樣走，甚麼都不用帶，我一切都替你預備好了……啊，快點，快點！……（他站了起來就要立刻抱起她逃走了。）

貂蟬（拒絕他）

不要這樣，你聽我說…

呂布

怎麼？

貂蟬

我並沒有接到你底信呢。

呂布

甚麼？你沒有接到我底信？…——哦，是的，那位奶奶頭一次見我的時候，曾對我說過你是不願意我當面問你這些事的…但是這有甚麼要緊呢？

貂蟬

我不懂你底話。我是眞沒有接到你底信的。

230

呂布

你總是不說……——好罷，你說沒有接到就沒有接到罷，我們不說這個了。現在我們還是快點逃走！你看，已經要到夜靜了，這正是很好的時候，並且今夜恰恰是十五，那些守衛的甲士多半都放了假，多半都回家或者吃酒去了。快點！現在決不會有一個人知覺。我引你先到我底宅邸，把我給你預備的衣裳穿起來；我有一匹好馬，叫作赤兎，是可以日行千里的：我們便立刻動身，讓我把你抱在馬上，我們就借這照路的月光，飛騎向長安東門外馳去罷！我有出城的執照，一點困難的事情不會發生的。我們去，我們去到那很遠很遠的地方，或是濟北，或是北海，或是廣陵，或是江夏：我們去，去到那些可以使我們自由的處所，海闊天空，一任我們棲遲遊止，沒有一個人敢來妨礙，你說好不好呢？……快點！我們去，我們去．（他又上前要把她抱了起去。）但是……你為甚麼拒絕我呢？

貂蟬

你說的是要我同你逃走嗎？

呂布

是的，你已經是我底人了。

貂蟬

爲甚麼呢？

呂布

啊，『爲甚麼呢！』你還要這樣問我！因爲，因爲我愛你呀！我愛你愛得幾乎連生命都要丟棄了，我愛你愛得把我底心臟，把我底血液，甚至於把我全身的筋骨都弄得失了一向和平的作用和一向健康的能力了，我愛你愛得——哦，我不知道怎樣說的好！⋯你，你是我底皇后，你是我底神聖，你是操着我底生存權的主宰，同時你又是我底希望，我底信仰，我底唯一的靈魂⋯哦，我愛你，我愛你，我愛你！我不能讓你被別個這樣占據了去，我不能讓你這樣離開我而獨在，——就是因爲這樣.所以我近來纔成了這個情形，才變得像個精神身體起了變化的人，纔變得好像生命快要沒有了的樣子…哦，可是，可是你却是能使我恢復我底生命的一個活力呀！我現在看見了你，我全身底和平和健康便都恢復轉來了，不，甯可說反而增加了超過和平以上的興奮，增加了超過健康以上的勇敢了…我不能捨你！不能捨你！你好易容今晚纔使我底生命恢復了轉來，我怎能讓牠又滔滔而逝去呢？…——走能，我一定要你跟我走的，你再不要問『爲甚麼』了。

貂蟬（沉醉地）

眞的…眞的你那樣愛我嗎？

呂布

唉，你還不相信！我，——我眞不知道怎樣說的好！——天呀，讓我會說一點罷？——我本來想在你面前細細地訴說一下我愛你的經過，但是不曉得是甚麼道理，一見了你，却不能痛快地說出來了。我，我本是一個性情很強悍的人，我素來不肯在人前輕易低頭的，你大概也知道一些：我上戰場如同上筵席一樣我沒有感覺過甚麼痛苦和甚麼困難，只有別個來崇拜我，我却總不會崇拜別個，我是：——唉，我怎樣說得這樣不連貫呢！——總之，我是一個很不容易屈伏於人的人的。然而，然而自從見了你以後，我這個性情却竟然會完全地改變了，改變了！我底強悍到你面前便像是自然消失得乾乾淨淨，我這個不會崇拜別個的人竟然在你底面前却只有崇拜，崇拜，十二分的崇拜！我只要看到你那瑩潔的眼睛底一瞥，便覺得幸福的洪潮由我底頭項上一直流貫到我底全體；我纔看到你底唇兒——天呀，我這荒島般的腦子怎麼總想不出一個恰當的字眼形容你底唇兒呢？唉，就是你的唇兒能：你底唇兒——哦，我說的是我纔看到你底唇兒在要輕輕地開啓時，我底心便立刻簡單而嚴重地命令着我說：「當心你底耳朵要接受神聖的禮物了！」這樣，我便要很安靜地停止着——其實呢，當你底唇兒開啓了的時候，接受那種禮物的並

234

不單是我的耳朵簡直是我底五官底全部呢！哦，你底脣兒是怎樣的可以使人崇拜的呀！——對了，現在我可想起了形容你的脣兒——不，還是你底口罷，——我想起了形容你底口的字眼來了：你底口好像是那神龕前的香爐…唉，不如簡直就是太廟裏的神龕好罷！哦，我，這我怎麼能不崇拜，怎麼能不崇拜呢…——唵，唵唵，我怎麼越說越遠了！你覺得討厭嗎？我見了你就不會說話，所以說得沒有一點條理。我底意思只要向你表白出我愛你的實在情形：總之，我在全中國底人面前是英雄，在你底面前却是一個尋常的男子！我是再不知道怎樣說了…——不過，不過你呢。…你可是也還愛我嗎？

貂蟬（在沈醉中自然地衝口而出）

我也在愛着你呢…

呂布（發狂地擁抱着她）

甚麼？我底貂蟬，你說甚麼？我沒有聽淸楚呢…你再說一遍罷。…不過，你這句話說得我心裏好過到這個樣子！你再說一遍，再說一遍：你爲甚麼閉了眼睛呢？：哦，你也愛我？那麽你回答我一聲，是不是第一次見我的時候便愛我呢？回答我一聲能是不是呢？

貂蟬

是的呢：：

呂布

哦哦，我底貂蟬！我底貂蟬！你這個話怎麽像強烈的醇酒一樣，使我底精神猛然間就醉了呢？哦哦，你這句話就好像夜間落在芭蕉上的露水一樣，就好像四月裏的晚風在海面上吹過時起的微波一樣：：你這句話從我底耳中經過一直落在了我底心上，我底心被牠引得不能靜止了：：你覺得麽？我的心要跳到我胸脯以上來了：：哦哦，我底貂蟬！我底貂蟬！真的你這句話一落在我底心上，我好像覺得這世界便倒塌了，毀滅了：：但是你覺得我底心在跳嗎？：哦哦，怎麽？你底眼睛不睜開嗎？你原來你底心也是在這樣的跳呢！

236

……現在我底心可貼着你底心了……

（閣內深處又有笙簫聲傳來。）

（呂布貂蟬統都回過了意識。）

貂蟬

哦，她們又要唱那個歌了

呂布

是甚麼呢？

貂蟬

一個很新的歌，是由東部纔傳到長安來的。歌中是當初牧野底一個戰士出征時和他情人底對話。你聽，這佐唱的笙篌底調子就很特別的呢。

呂布（仰覩月光）

哦，這月亮眞是明郎呀！這月亮用他的光明把我們侵得好像連靈魂都要融化了！你看，我們還不是像要被這光明奪去了的樣子嗎？…可是呢，這光明把我們的影兒却吸引在一起：你看，我們底影兒已合成了一個，完全分不出那些是你，那些是我了…哦，今夜恰恰是十五，我們在這團圓無缺的月亮下邊相見，倒眞是一個很好的紀念呢…——但是我們還是快——

貂蟬

聽！聽！

（歌聲又作，但較前另是一種歌喉。）

（他和她緊緊地很抱着，仰頭傾聽。）

歌聲

238

「我底愛人，現在我，要丟下你前去出征，
要丟下你一個人守在這兒冷冷清清，
　這次怕有一個，險惡的大戰，
我去後能不能夠生還，誰也難以料定，
可是你還是這樣的美貌，這樣的年青，
你底愛情，牠會要惱恨那孤寂的光陰：
　怕當我，沉落在黃河的時候，
牠却已經把我忘掉，並且是屬了別人……」

貂蟬

這一段是那戰士給他情人說的呢，下邊便是他情人說的了——

歌聲

『可愛的良人，去，快去追那前進的鼓聲，
那會引你去見那萬惡的仇讎的暴君：
他在那兒，那兒正等着你底利劍，
等着你底利劍，去完成那誅罪的使命。

至於我底愛情，牠是會和你一同前進，
會跟在你底馬蹄後面，把你追得緊緊，
你若是真被黃河吞了下去，

那牠便也會追入河裏和你永不再分……』

呂布 這個歌倒很新奇呢，但是的確是一首好歌……

貂蟬 這歌叫作『牧野悲壯行，』眞是很能動人的呢。

呂布 想不到在這兒這個高牆裏面，會有這樣能夠激發人的歌聲……——哦，現在時候確是不早了，我們還是快些走罷！再等一刻，怕就不大妥當……怎麼？我已經對你說了我愛你的實在情形了，你還遲疑甚麼呢？你該相信我，相信我……哦，我底貂蟬！——你在想着甚麼事情呢？快些走罷！不要再躭延時候了。

貂蟬

眞的要逃走嗎?

呂布

我求你,不要這樣遲疑了。再躭延下去,眞的會誤了事…

貂蟬(突然堅決地)

我不能這樣做。

呂布

怎麼?怎麼?你不能?你不能跟我走嗎?啊啊,爲甚麼呢?你不愛我?你覺得你住在這個高牆裏面是很舒服的,是不是?你是以你這種生活爲滿足的了?你不願使你自己另有一種新的生活?啊啊,你怎麼纔是這樣,纔是這樣呢?我好容易——

貂蟬

聽我說,聽我說…

242

呂布

我好容易今天晚上纔見着了你，好容易！我在這兒整整地守了兩夜，爲的是甚麼？我愛你愛到了這步田地！我要把我的在長安底一切榮華，一切富貴，一切赫耀的名位權力都丟了開去；我甯可失却我底官職和我蓋世的聲望，却只要能得到你——我這樣把我自己當成一個專來供奉你的奴隸，我這樣在你面前來捧獻我底眞心，我這樣不顧一切地對你熱愛——難道還不能得到你底信託嗎？莫非你捨不得這丞相府的高大門第？莫非你捨不得我那個又老又淫的義父？莫非你捨不得你所負的侍妾的名義？莫非你捨不得——

貂蟬

聽我說，聽我說……

呂布

莫非你捨不得別個玩弄你的那種醜態和你由受了別個底玩弄而得到的衣食住

居？…啊啊，你『不能這樣做！』『不能這樣做！』這你是不願意同我一道的了！啊啊，這就是你也在愛我的嗎？你是口中在說你同我愛你一樣的愛我，心中却是連我愛你的十分中之半分都沒有的呢！我，我眞是浪用了我底愛情了，浪用了我底愛情了…

貂蟬

你再不聽我說，我就走囘去了。

呂布

甚麼？…，哦，我聽，我聽…

貂蟬

你底性子急得太厲害了，還沒有聽出人家是甚麼主意，便像是被火燒着了的一樣，把暴躁的甚麼話都說了出來。你可知道你所說的話是羞辱我的嗎？——固然我這個薄命的人是素來被人羞辱慣了的，但是，在你，在自命爲全心全意愛我的你，似乎不宜這樣

244

來對付我：你可知道你底話已經把我羞辱得使我傷心了嗎你，你，——唵，你說你爲我費了多少心，吃了多少苦這個我自然是相信的，但是你那裏知道我呢？我所受的痛楚，我所受的艱辛，怕比你還要多着幾倍：——自然，我這個人素來便是在痛楚和艱辛中過着日子，正如你所說的一樣：我是看別個玩弄我的醜態幾乎成了習慣的了。不過我却不至於是那種自甘下賤的人，我是常常在憤恨着我由看那些醜態而得來的衣食住居的：這個恰恰和你底話相反，我幾乎沒有一天不想脫離這種生活，沒有一天不想有新的生活底來到：這些痛楚和艱辛自然是一向便纏繞着我，但是你想，當到一個人在這樣的生活中，愛上了一個自己沒有方法去實行自己底愛——想愛而不能去愛——的人時，那種情形，那種悽慘的情形，又豈是用幾句話可以追述出來的嗎？：你想，一個女子，一個從小就在人強暴勢力之下的女子，一旦有一個人能來挺身救她，並且還是用他專心致志的摯愛——……果眞他底行爲和他口中所說的一樣時——向她乞求，說『我不能讓你被別個這樣佔據了去，』說『我不能捨你！不能捨你！』那她就是再怎樣冰冷再怎樣無情，也會觸着了感激的慾望的，也會把她底希望投在他底脚下。況且，——我已經說過了，我曾作過那樣的人在一向痛楚和艱辛的生活中曾爲了『愛』而更增加了難以追述的痛楚和艱辛的……

呂布（立跪其足畔）

哦，我寃枉了你！你恕我，我底貂蟬！……那麼你是願意同我走的了？我們快——

貂蟬

聽我說完：……你若是眞正愛我，你一定會聽我底話的。我愛你，我是千眞萬眞的愛你，但是我不願你是一個沒有用的男子。——這話你明白嗎？你要我跟你一同逃走，不用說像我這樣一個從來沒有享受過眞正人的生活的女子，能得到這樣的一個機會，若是還要說不願意的時候，那不是沒有感覺便是一個太過愚蠢的人；不過，我們逃走了以

246

後，——逃走了以後怎麼樣呢？眞的去找一個與世不聞不問的地方那樣住下去嗎？你說你願拋棄一切你底名位權力等等，這個原因是爲我，那自然我是非常地尊重你這種高尙的情意的，但是，你底事業——你把你底事業放在甚麼地方去了呢？是不是也把牠看得同你底名位權力一樣，可以爲了我，隨便地丟了開去呢？……不要以爲我是那種只顧滿足一己底虛榮的婦人：要一個男子把他所有的過去，未來，都捧來作爲對她的犧牲的獻禮，——那個在我看來，要算是一種莫大的罪惡的。也不要以爲我是容易被那種超乎一般的爲『愛』的行動所陶醉的人，竟可以盲目地一任猛然間的狂熱帶到任何地方去。——聽說秦時趙高弄權的時候，有一個勇士叫陶嬴，他底英名，和那伐匈奴，建築長城的蒙恬不相上下。趙高底暴虐專橫，他是早就憤恨了起來的；當時天下底人士也都在熱望他能代民衆誅殺那個罪深惡極的元凶。但却不料在那個時期，他熱戀着了一個咸陽城中的美女，把一切國家底大事都置之不顧：聽說有一次那個美女把她底玉簪失落在咸陽北門外的河川裏面，他竟然費了三晝夜的時間給她找了回來。結果是她信託了他底熱戀，同他離開了關中，不知道雙雙走向甚麼地方去了。——這個故事，依我看來，實在是最無聊的。若果我是那個女子，我決不會信託那樣的人物！像那只爲了一己底愛，便把一向對無量數民衆應該負的責任賣掉，若要我裁判那個男子時，除了『喪心病狂』四個字，沒有別種批語可以加在他底頭上的。我要是遇到那樣的男子，假使我在愛着他，我就要勸他改掉他那種行動。若是他不能夠改掉，就是他對我的愛再怎樣的眞實，再怎樣的放出了些神奇的動人的色彩，都不會使我傾心，使我滿意；就是我再怎樣情急地愛他，也要向他表示拒絕，也要把我已經給了他底愛努力地收回來的……

呂布

貂蟬！……

貂蟬

我想你會明白我底意思了呢：……——你覺得我底性情有些特別嗎？其實我本來也不是這樣的呢。當我還沒有來到這個丞相府的時候，常被一種希求自身幸福的幻想所支配，常做着想借重大事情來幫助個人前途的迷夢，老實說，我那時對於愛的處理是具着另一見解的。可是自從我最近這些日子經過了生活上很大的變遷以後，我底心境也跟着起了很大的變化了：我是被最近極端的痛苦和極端的悲哀逼得成了一個反抗的人——堅強的反抗的人！我一向本是柔弱，沉默，甚麼事都一任別個擺佈的；可是現在，我不是那樣了！我覺得我雖然是個女子，但是應該和男子有一樣的地位，應該和男子一樣，做些有意義的事情，——至少，也應該知道把個人底幸福放在為公衆幸福的事體以後，至少，應該知道為公衆底患難去憂傷，哀毀……——你覺得特別嗎？是的，我這種變化，是由於自己本身受了別個欺侮的緣故。但是，我為甚麼會受別個底欺侮呢？我本是好好的一個人，為甚麼會過這種供給別個淫樂的生活呢？這個，已經不是我一個人底問題，我覺得這兒關係着整個的習慣和制度的。——最近我常常這樣的思索，我把我這個意見擴張到無限大的時候，我底憤怒簡直像要把我全身底血管都衝破了呢！…我恨我不是一個男子，所處的境遇不許我做我想做的事；我若果是一個男子，那我一定要作一番改革天下的偉大事業，我會把一切由歷史上傳下來的惡習慣和惡制度一齊推翻，一齊破壞！我會用暴力去剿滅信崇這種習慣和制度的人，我會用流血的手段去除那專爲自己作威作福而假借這種習慣和制度的暴虐者！——我若果是一個男子，我一定是這樣做的。我想我底意思，你是會明白了呢…你要我跟你逃到很遠的地方去，這個我是很了解的；你所要求的是我們底自由，是我們底『愛』的自由。但是我問你，眞的這樣我們就可以得到自由了嗎？我們只用一個逃避的方法，就可以得到自由了嗎？卽準這樣可以得到我們一時所謂的自由，但是去過那種與世隔絕的無聊的生活，終究有什麼意思，有甚麼意思呢？…你要我脫離這兒這囚人的高牆，但是在這高牆裏面囚着的不只是我一個人哩！

我一個人可以逃走，可以去求自由，但是別個被囚的呢？難道只有我纔有這種權利嗎？——你可以說我們是爲『愛』而做的，但是，依我看來，『愛』並不一定是那麼神聖的事；要是把愛和自由放在一起時，那除了去鬥爭，去先把牠建立在多數人類中間——除了這樣，依我看來是再沒有別種方法可以去徹底地實現牠的。

呂布

不要說了，不要說了……你要我怎樣做，我怎樣做就是了。——你要我怎樣做呢？

貂蟬

我要你怎樣做？……你自己沒有主意了嗎？——你看現在我們所處的是個甚麼時代，——你應該比我還要明白的：現在天下年年都在戰亂，人民底不能聊生，已經到了最厲害的時候了。像你，像你這個一向便有聲勢，有權力，可以大大地替國家作一番事，爲民衆盡一番力的人，本來應該怎樣把自己放在重大的需要底中心裏面，纔是正當作人的方法，——但是你却要爲一己底熱愛，爲個人底幸福想從你偉大的義務前面逃避了開去！你底全身心就好像被一己底熱愛和個人底幸福所沾迷着了！你簡直就忘記了你是一個甚麼樣的人，忘記你所處的是一個甚麼時代！……——我是個女子，我還能爲眼前的大事來思索憂憤，來不斷地自己恨着自己，而你——

呂布

唵，不要說了，不要說了！…你這樣嚴刻地裁判了我，眞使我——使我感覺到羞愧難當呢！我也不知道我怎麼是這樣的糊塗，這樣失了本性…不過，我是聽你底話的，在不會失掉你的範圍內，我可以如你的所願，我立刻就用我底能力去除那全國底禍首…

貂蟬

那一個？

呂布

這是很明白的，貂蟬，你所說的話裏面已經告訴了我，——現在還有那一個是全國底禍首呢？我並不是不知道這個，我之所以沒有對他有甚麼舉動的，是因爲他畢竟是我底義父——

貂蟬

啊，你在顧全這個嗎？那麼，我是你底義母了，你第一就不應該這樣來愛我的，

呂布

唵，我底貂蟬！不是這樣說，不是這樣說：我一定依你底意思做去！——天呀，賜與我些力量，叫我不要一到他面前的時候便想起他給我個人的恩惠罷！……——我底貂蟬！我決定了！我要努力把我和他已往的關係忘掉：這是爲——我聽你底話！——中國，爲長安，爲你爲我們底愛情去——做的：

貂蟬

那麼你聽我說：你要是眞要去做這椿重大的事情時，那便却不要倉卒從事；並且你底使命並不是只把他除掉便算了事呢，後來還有許多的事情要去做的。你聽我說：三天以後便是他底生日，你最好在這三天之中和長安所有的文官武士先設法會商一遍，到那一天，你可以叫你底部下來把這太師府首先包圍起來，你便在那衆人之前堂堂正正地發難，把他底罪惡宣佈過後，再用你正義的劍鋒去誅罰他。並且，最好那天能設法把長安底市民都招致在那設筵的臺下，使民衆得以公開地看見他們仇敵底死亡，——我想，那樣一定是一個偉壯的奇觀，一定可以成歷史上從來未有的一次壯舉呢！……——你願這樣去做麼？

呂布

啊，貂蟬，你眞使我驚異了！你底思想和睿智竟然這樣的駕乎一般女子之上——啊，我眞是怎樣的羞愧我自己呀！……我一定聽你底話，我一定照你所說的努力做去……啊，你放心罷，我一定這樣做，一定這樣做……

貂蟬

好的，這纔是你愛我的最可靠的唯一的證據。來罷……（她用手挽他。）我已經是你底人了……我在這兒等着，只有三天，我就要當場看你做那偉大的事業……只有三天，我便完全屬於你了，我便完全完全屬於你了，屬於你了……

呂布

我底貂蟬！我底貂蟬！

（他和她緊相持抱了起來。）

（此時園內忽轉出幾名使婢，都手提宮燈，一面走着，一面口中呼喚。）

使婢們

新夫人！——新夫人！——新夫人！

貂蟬

哦，他們找我來了……你快走罷。一切就這樣決定了。再三天——哦，快——（她急推開了呂布。）

（呂布退至圍門外牆陰下。）

我在這裏呢。

使婢中為首者

太師回來了，請新夫人立刻到後廳底別室中去。

貂蟬

那麼去罷。

（使婢們在她前方用宮燈照路，她底背朝着舞臺前方，拖着掃地的曳帶和很長的衣裙底後幅，遲緩地一步一步向內方走去。）

256

（月光漸漸地暗了下去。同她底步調取同一的速度：她向內走一步月光黑暗一下。）

（歌聲又作，非常的淒楚，細微，悠遠；也跟着她底步調和月光暗下去的速度漸漸地漸漸地向下低沉。）

歌聲

莫別離，
惹魂銷，
地寬天高，
風吹時光老，
但有寂寥
復寂寥……

莫別離，
夢一場，
人去花亡，
好事成已往，
從此渺茫
　又渺茫……

（歌聲到最後一句，特別低沉，同時貂蟬便全身進到內方去，不可復見，而月光也完全暗了下去。）

（場上立地變成黑暗，沉寂。）

（在黑暗與沉寂中隱約見呂布尙凝立不動。）

258

國慶前一日

人物：張白甫——民報編輯

佈景：張白甫之家中——一所簡陋的住宅。正首有門，可通內室；右首又有一門，爲臨街的出口，此門旁有一窗戶，可看見街上事物。場上設置都很簡陋，桌子一張，椅子二三隻。桌子上堆有報紙雜誌，並置有墨水紙筆等。惟右首牆上安有電話。

張白甫

〔在內室，場上只聽見他的聲音。〕

啊，你還是休息休息罷！…對了，這樣靠着…你不覺得枕頭太低嗎？我把這件外套捲起來放在枕頭下面，好不好？…不要？那麼你覺得這樣還舒服麼？…那麼，好，就這樣，可是你要安靜些…我嗎？我現在要把那張傳單稿子修改修改，等一等他們就要來拿的…是的，這是爲明天用的，趕今晚就要印出來的…怎麼？你覺得有些冷，是不是？還是把這外套加在被上好些…讓我快去把那傳單修改好—但是不要緊，我還可以一面陪你談話的…

〔他由內室走了出來，穿着很舊的西裝，年紀約三十左右。〕

唉，怎麼外邊也是這樣的陰暗呢？怕是天要下雨罷？

〔走到窗邊。〕

或者，或者不會呢…甚麼？——

〔走到內室門口。〕

你問甚麼…幾點鐘?現在大概——

(看身上帶錶,)

哦,已經四點多鐘了!已經不早了呢…

(坐在桌旁一面翻閱稿紙,一面向着內室。)

是的、我現在預備修改這張傳單…你要聽?…唉,好的!我一面讀給你,我一面來修改…是的,這是幹部底人起草的…我們已經決定借明天國慶的日子做一次巨烈的羣衆運動,這傳單就是說明這所謂國慶底意義和我們應取的態度…——哦,你還記得三年前五卅事情發生的第二天,我們兩個一塊兒做傳單的情形麼?那時我們兩個都被舉爲起草傳單的負責人,我們兩個在閘北一間亭子間裏面對坐了一天,你把你起草的稿子給我看,我把我的給你看。哦,那時候,我們兩個眞起勁呢!我們不是費了一天的工夫做了有十幾種傳單嗎?那眞是可紀念的一天!…甚麼?…你說?…當然我那時那樣起勁,一半是工作上的需要一半也是因爲有你在我底旁邊：：那麼，你那時的起勁呢？：：笑甚麼？說呀！：：叫我想？：：哈哈！那麼也是因爲有我在你旁邊的緣故了：：哦，我們那時眞好！光陰眞容易過！那天我算是第一次和你單獨地坐在一塊兒工作，自從那天以後：：甚麼？是的呀！光陰眞快，眞快，眞是一點也沒有覺得，我們共同生活已經要滿三年了呢！：：那裏底話瞎說！好好的一個人怎麼就會死了呢？你要靜養才行！等到你病好以後，我們還同從前一樣，一塊兒工作，那樣多好呢！：：哦，好的！我一面讀給你，我一面修改：：

〔讀傳單原稿。〕

「被壓迫的勞苦民衆！

今天是所謂國慶的日子，市政府傳來了政府底命令，要全市都一致地掛旗慶祝當然我們都這樣的做了。這在表面上看去今天確是一個非常光榮的日子。

但是，一切革命的被壓迫的勞苦民衆，應當認淸今天這個日子底裏面。這兒所有的光榮，只是他們少數特權者裝點自己門面的幻術，和我們底實際生活是全不相干的。

他們一面在……」

（取筆添寫。）

這里須得添幾個字——

「他們——那些豪紳地主資產階級——一面在屠殺農工，在帝國主義底面前獻媚，一面卻又大吹大擂，說他們已經統一中國，說他們爲民衆造了許多的利益。所謂國慶……」

唉，這裏又得加一項——

（寫。）

「在這種情形之下，我們不能不正式地來把我們底假面具揭開。所謂國慶……」

唉，不——

〔寫〕

『我們决不否認，所謂國慶這個日子在過去歷史上的意義。我們一點也沒有否認這個。我們反對的是豪紳地主資產階級借着這僅在過去歷史上佔有意義的國慶來發表他們底反動言論——爲鞏固他們自己地位的反動言論以欺騙民衆。

我們只聽見他們口口聲聲地說是爲民衆造了許多的利益，但是民衆得到的是甚麼？

我們看：工人得到的是失業！農民得到的是兵災，是匪禍！兵士得到的是幾萬幾萬的死亡，是死不掉的却八九個月得不到一點薪餉！商人得到的是苛捐，是雜稅！所有的苦力及貧苦民衆得到的是無衣無食，凍死餓死！——夠了，這就是他們給民衆造得的利益！

甚麼叫「裁減兵額」？甚麼叫「勵行自治」？甚麼叫「已得友邦之諒解」？他們口口聲聲地這樣欺騙我們，用這些官樣的文字來欺騙我們……』

〔電話鈴響。〕

哦——

〔他站起來去接電話。〕

阿勞！阿勞！是那一個？……是……李頻洪？哦，我是張白甫……甚麼事？……哦……哦……我正在修改，不過大體都很好，沒有可以大修改的地方……你馬上就可以來拿……是的，馬上就可以……再沒有甚麼事嗎？……哦，好……

〔他復坐在桌旁。〕

〔向內室。〕

沒有甚麼！就是他們催我馬上把這傳單修改好……噟？是呀，並沒有甚麼十分可以修改的地方……不過總得看一遍。——你現在覺得好點嗎？……噟？……啊，有這樣的事？聽了這傳單可以使你的病輕一點？……那麼，多做些這麼的傳單給世界上有病的窮朋友們去讀，豈不好嗎？有錢的人得了病，可以住病院，可以請醫學博士，那麼，我們窮人就靠這種傳單來治病罷！哦，的確的呢！這傳單可以增加我們底抵抗力，可以復活我們底血輪，所有妨害我們健康的微菌，都要被牠殺死呢！……甚麼？好，不說了，我讀，我讀！我希望這張傳單讀完，你底病就可以痊愈，那便又多一個做傳單的人了……好，我讀……

〔讀〕。

『……用這些官樣文字來欺騙我們，不過，我們是有眼睛的，我們看各地底軍閥都正在祕密地募兵，密祕地輸入軍火，以作互相衝突的預備；他們之間每一個都想得帝國主義底寵幸，都想無限制地獲得賣國的整個權利，資本底魔力使他們完全不知恥地投身在帝國主義底膝下了！現在全國已被他們造成了全副帝國主義侵略的局面！——這樣，試問怎麼樣去裁兵？怎麼樣去自治？還說甚麼「得友邦之諒解」！笑話！眞是笑話！』

你說？……是的，做得的確不壞呢……嗎？……我不大知道，大概是適才給我們打電話的李

266

頗洪起草的罷：是的，他是幹部新任的秘書：

「一切革命的被壓迫的勞苦民衆，應當認淸我們目前所處的地位。我們決不能讓人永遠這樣的欺騙，同時我們須知道這些事實只是證明革命運動快要達到一個新的高潮！我們要加緊我們底力量，努力地團結起來推翻一切反動的勢力！

所以，在今天這個僅在過去歷史上佔有意義的國慶中，我們決不容反動派借來發表蠱惑我們的種種言論。我們決不受他們底愚弄，趕快組織自己，武裝自己，堅決地向敵人進攻以實現自身迫切的要求！」

〔電話鈴響。〕

又是甚麼？

〔接電話。〕

阿勞！阿勞！：那一個？：是的，我是張白甫：甚麼？：呵！怎麼弄的？：是剛纔發生的嗎？

…眞糟！眞糟！那我們明天用的傳單豈不是不能發了嗎？…這眞糟！是怎麼弄的！…甚麼？還有？第四？…不是？…啊第十！那麼，明天怎麼辦呢？…哦…哦…好罷，弄好了的時候再告訴我……

哼——

〔向內室〕

…不要問罷！眞糟透了！我們底印刷機關被破壞了！…說是剛纔發生的…嚯？當然是司令部方面底人…那裏只能捉幾個人呢？全部印刷機關底同志都被捉去了！…當然門當然被封了！…嚯？…是呀！明天底傳單不能發了！——我剛把傳單看完，只剩到最後的口號了，眞糟！馬上便發生了這件事情！…明天底運動自然是還要實行的，不過同時我們第十區底機關也被破壞了呢！…是呀！第十區！…所以糟呀！第十區是工人區域，我們明天羣衆運動底幾個領導的人都在那兒…甚麼？…現在有甚麼辦法！——顏洪說是他再找人去問，

268

看現在底情形，明天到底能不能實行運動，他等一等會再給我打電話的…那還用說！當然他們是調查出了我們明天的準備了，所以今天下午到處都搜查呢…嚯？…這有甚麼他們底偵探多得很呢！當然可以調查出我們機關的地方——哼！這些王八蛋越來越凶了！但是他們眞是在做夢！他們以爲這樣就可以把民衆彈壓住了嗎？眞是在做夢！…嚯？…甚麼？…哦…哦…唉，那個我想倒不會的，我在民報作事已經很久了，同事都不知道我是怎樣的一個人。他們都以爲我同普通報館裏的編輯一樣，是一個沒有甚麼思想的人，我想我總不會有什麼危險的…

幾點鐘？——

（看錶。）

已經六點鐘了——但是頗洪怎樣還沒有電話呢？

（很焦躁地走來走去。）

……唉？怎麼能不急呢？不知道明天到底怎麼樣……

（忽向外傾聽。）

街上在賣特別號外！大概是說我們機關破壞的事——但是不會有這樣快罷？

（他走到窗邊伏在窗口向外喊叫。）

喂，號外！號外！——幾個銅版？——好，三個，拿一張來！

（由窗外接拿了一張號外，一看不覺大驚。）

啊！奇怪！——眞奇怪！你底話驗了！怎麼這樣的事竟然發生了呢？……

（讀。）

『民報館今午被查

今午十二鐘左右突有司令部人員十餘名至民報館調查，據云該報館匿有重要人

270

犯。但搜查結果，一無所得，恐係該犯已聞風先遁。該報館經理亦被逮去數小時，至下午三鐘許始行釋放云。』

這——

（電鈴急響。）

唉……

（接電話。）

阿勞！阿勞！……是的，是的，我是白甫，你是頗洪嗎？怎麼樣……啊！……啊！啊！……那麼……走？我怎麼能？我底女人病得很厲害呢……你馬上走？為甚麼？……啊！啊！……那麼——喂，那麼再請你調查一下，好嗎？……立刻就要？確實嗎？——喂——頗洪！頗洪！——阿勞！阿勞！——喂！——

（他無法可想地丟開電話，坐倒在椅上。）

（向內室。）

哼——哼——

〔無氣力地。〕

是的，你底話驗了！適纔號外上說他們要捉的要犯就是我…是——頗洪得了個確實的消息，說他們已經知道我的住處了…說他們立刻便要到這兒來捉人呢…甚麼？…頗洪？他也逃了！他說我們底幹部都也被他們知道了！…你說？…我不走！你底病這樣厲害，我怎麼走得開呢！…哼——哼——不！——我不走！…不！——不走…

〔忽然跳了起來。〕

甚麼？甚麼？你千萬不要動！我聽你底話！我聽你底話！

〔奔到內室。〕

〔在內室說話。〕

〔顫聲。〕

272

我聽你底話就是…你千萬不要動…我走，我走…但是讓我把外邊那些傳單印刷品燒了再走：好，我快…我快…你千萬不要動！我很快的！很快的！…

〔跑了出來。〕

〔檢桌上所有印刷物。〕

但是，這個燒了眞可惜了呢…這個也得燒…這個…

〔跑向內室。〕

啊！你千萬不要動！我快！我快我快！

〔又跑了出來。〕

馬上燒——

〔又跑了進去。〕

我在聽你底話呢！…馬上…馬上…

〔又跑了出來〕

〔很紊亂地掬了一堆印刷物放在地上點起火來。〕

哦，我在燒，我在燒……馬上就完……就完——

〔忽然一個劇烈地打門聲。〕

啊！——

〔打門愈急。〕

啊！——來……來了……這樣快……就來了……

〔打門更急。〕

這——這怎麼——辦？……

〔他在忙亂中把房中四面所有的印刷物的紙堆一齊點起，全場立地被烟火所罩。

他絕望地茫然地揚着頭端立在烟火中間，有如受犧牲的一個聖者一般。〕

274

（幕）

一五，十月，一九二八，夜半，脫稿。

散文

我底囘國

伯奇：

前次寫了一封信給你，想來你是已經接到了。說來眞有點不快，我剛囘到上海，你即在我到上海的前一天往日本去了。你來信問我囘國來計劃怎樣，我眞不知道怎樣囘答你呢！我這次囘國，本是一種衝動的表現。我還記得是一天晚上坐在拉丁區底一個珈琲店裏面，前正擺着一杯 Rhum，一個人無聊地正在出神，忽然一個賣報的撞了進來突然地喊着：

『中國底暴動！中國底暴動！』

好像是一個晴天霹靂一樣，把我從沉夢中驚醒，急忙便買了一份報展開一看，啊！……——這新聞就是我們最痛心的五卅事件！

從那晚起，每天報上都有中國的消息。可是報上對於那些消息的評論卻真要把人氣死！他們——帝國主義忠實走狗的新聞記者！——一提筆便說我們是咎由自取，一提筆便說我們是野蠻的民族，一提筆便說我們是無理取鬧，並且一提筆便說他們對於我們應該徹底肅清，應該格殺無赦！……啊，這簡直是反了！他們底意思是要我們俯首貼耳地讓他們來屠殺，他們底意思是要我們把頸子伸長連哼都不要哼一聲的！這簡直是反了，簡直是反了！

那晚我曾自己向自己發誓，決要在最近的期間回國，我是再不願意在外國享樂；再不願意受他們假意的優待——其實，平心而論，我個人過去的生活，中國人對我眞不如外國人對我的情意濃厚，但是讓牠濃厚去罷！我還是到中國受苦好些！我是就這樣決了心，就這樣匆匆忙忙地收拾了行裝，一面給國內朋友寫信，想借點回國路費。我在等路費的時間，每天都想回國，我決意和許多外國朋友都不來往了。我在一首詩中說道：

去罷，還在這兒迷戀甚麼熱愛的情婦！
去罷，還在這兒沉湎甚麼芳烈的醇酒！
去罷，還在這兒居住甚麼華美的房屋！
去罷，還在這兒信託甚麼誠意的朋友！

我眞是天天在想回國，我幾乎要發瘋了。

可是，出人意料，我向國內朋友借的錢竟成了空夢，使我不得不又向別處設法。但是在這期間遂又耽延了很久，所以直至現在纔算是真的回國來了。

我要動身的前晚，有許多朋友約會在一個飯店中給我餞行。我那時因爲受了友情的包圍，不覺便痛飲了一陣，朋友們要我留一個紀念，我當時頭昏耳熱，向店中索了紙筆，便隨意地寫了一首詩給他們。這首詩是這樣：

勸君聽我言，我本飄泊人。
我本飄泊人，無家無相親。
東西復北南，舊書伴一身。
舊書伴一身，飢寒常來侵。
有時三四日，飲食不沾脣。
飲食不沾脣，幾死幸復生。

280

有時去自殺，所苦在愛情。
所苦在愛情，相遇皆不誠。
屢被人拋棄，惟有自呑聲。
惟有自呑聲，無處安靈魂。
飄泊復飄泊，悲觀更傷心。
悲觀更傷心，今向故國奔。
故國正災難，願去哭國門。
願去哭國門，一瀉我哀忱。
或竟不去哭，往遊埃及城。
往遊埃及城，便向尼羅沉。
今日一爲別，良友意殷勤。

良友意殷勤，倍覺傷我神。
人生祇如此，忽聚又忽分。
忽聚又忽分，紀念永遠存。
勸君各努力！我本飄泊人！

現在我把這首詩抄來給你看，你大概可以明白了。你大概可以明白我回國到底有沒有甚麼計劃的了。所以，我說我回國只是一種衝動的表現。

衝動的表現也罷，甚麼也罷，總之算是回國了。將來怎麼樣，我自己也不知道，但是作一點應作的事卻是我早已有了決心的，說得厲害一點，可以借愛爾蘭殉國詩人 Patrick Pearse 底詩中的一節來表我底心情：

I set my face
To the road here before me;

To the work that I see,
To the death that I shall meet.

現在我能對你說的我底計劃也只有這一點了罷！

其次，你來信說到我們底國民文學運動，你所說的「語絲」上錢玄同等底批評，我都看見了。他們確是陷入了很大的錯誤。我們提倡國民文學的原因是爲今日中國的作家大都不能了解文學底使命，只知道很淺薄地摹倣，而不知道對於民族予以有意識的注意，以現在中國這樣處於悲哀運命之下的時候，而沒有一個眞正體驗國民感情的作家。我們且先不要說這是代表全部中國人底懶惰與麻木，即只就文學本身來觀察，也是一個宣告墮落的先徵。木天前次發表的文字，或者有些地方因爲措辭上的關係，容易引起些誤會，但是像錢玄同那樣的誤會，眞是出人意料了。他竟然把我們和「贊美拳匪」以及狹義的國家主義者列爲同類，我眞不知道他是怎樣看我們所發表的那幾篇文字來的！我們明明列舉着有『主持社會正義』『主持階級正義』『主持兩性主義』等等，我以爲我們底旗幟是很鮮明而正當的。總之，不管你怎樣說，一個民族若不注意自己內部，不宣洩自己感情，不叫醒自己意識，就是費盡心力摹倣人家，根基總是在沙上建築的！其成績怕也只等於零罷了！我看錢玄同等完全是不懂這層道理，所以纔有那樣的武斷。

在文藝上，『紀念』是狠重要的，但這兒所說的『紀念』，決不含有復古的意義。我們可以紀念希臘底 Parth non，可以紀念羅馬底 Forum，可以紀念埃及底金字塔，那麼也可以紀念我們底萬里長城。這種歷史的趣味並非引導國民去回到古代，只是爲使國民提醒意識。感覺到對於已往創造者的懷慕而更從事於新的創造。我們應該恨那般淺薄的國家主義，只去抱殘守缺，在Neohpobia中討生活，但我們同時也該恨那般抹煞一切的偏急主張，竟至蔑視到代表人類眞實情感的 Nostalgia！

總之，我們應該受民族底洗禮，我們要努力創作，我望我們此後要彼此激勵。不過我自回國以來，切實與社會相接觸了以後，思想上似乎又有一點變化，現在還不能確定。但是等到確定或者要把我自己過去的一切見解根本推翻了呢。再緩一步或者可以告訴你。

獨清

二〇，四月，一九二六。

致法國友人摩南書

摩南(Monin)至友：

現在正是春末夏初的時候了。這時正是去年我們在廣州分手的時候，光陰畢竟是很快的，這一年中我們幾個同人底離散和我們中國時局底變遷，都足以使人吃驚我接到你底信一直到現在纔復，一半是我底疎懶，一半也實在因爲生活不會安定，又常被病痛所苦。你是知道的，生在現在這個時代的人已經不幸，生在現在這個時代的中國人更

是最大的不幸。我對你底信所以遲復的原因，還望你能了解，並望你能原諒，

你寄我的報章都已收到。蒙你論到中國現在詩人，提出我和沫若。我底「弔羅馬」更蒙你譯成法文並附上了註釋，沫若底「星空」也勞你很費力氣翻譯了。你對我們的這種熱心，我先在這裏給你致謝，

近來我們幾個人底行蹤都像是秋風中的黃葉，已經分散在各方了。沫若已置身政治，達夫在最近期間內因病赴日本修養，仿吾尙居廣東，我則暫留上海繼續着孤獨而流浪的半生不死的生活回想起去年我們在廣州聚首，眞是有如隔世、你大概還記得我們有一次在一座茶樓上談心你像是完全浸迷在我們中國南方——不，廣東特有的那種茶樓的趣味裏，那對於你，特別是一種異邦情調。我們曾談到了種種的問題談到法國近代的文藝，談到中國的近代文藝，談到法國最近社會思想的趨勢，談到中國最近社會思想的趨勢，談到日本，談到德國、並且談到呻吟於法國壓力之下的安南——你對於我們中國

目前的革命抱着無窮的希望，你對於我們幾個從事文學的朋友也抱着無窮的希望。你曾問到我們各人自己所打算的自己生命的前途，你也曾說到你自己。你最後結束的一句話，使我至今不能忘掉，你說：『無論如何，現今的時代，是革命的時代，我們都要革命！』

好的，朋友，『我們都要革命！』你這句話常留在我底心裏，並且常使我發生着很慚愧的反省。我總覺得我是過於偏向個人的傷感方面去了，一年來我很想在我這個缺點上作一番補救工夫，近來的心境似乎比較去年時變遷了許多。這固然由於中國環境底刺激，而其實你那句話也給我暗示不少。

我覺得文藝家決不能忘記他所處的時代與地域，固然，我們知道世界上的事物是隨着時間變易的，世界決沒有不朽的律理；但是這個我們卻不應該去蹈虛。譬如但丁底作品完全是以宗教的信仰作背景，中國屈原底詩中滿塡着懷念君主的單思病的呻吟，這些都是爲近代所不容許的思想，但是但丁屈原並不因此而失去他們底價值，思想不過是時代底產物，我們既了解了作家底時代，便不能因爲他底思想與現代不合而竟抹殺到作家底本身；不但不能抹殺，反而爲他能代表某個時代，卻使他底價值更形增高。不過這裏所說的價值，只是歷史的價值。卽就擺倫來說，他底影響自然是很大，兩果崇拜他，維尼崇拜他，歌德崇拜他，許多許多詩人想學他。但崇拜他想學他的人都是因爲和他底時代相近的原故。我們現在對於擺倫卻只承認他是他那個時代的代表者，只能承認他歷史上的價值，我們這時代所要求的革命家却決不是擺倫。擺倫式的革命詩人還不外以個人爲中心，還不外是一種英雄式的破壞者，這種思想表現出的行爲固然可以幫助希臘獨立，但也可以成Don Quixotte 式的騎士，對於現代卻不特無益反而有害了。

處在我們現代的文藝家正應該明白自己所處的時代與地域。現代決不是個人的時代。個人的時代早已成爲過去文學史上自浪漫派以來都是個人的文學，一直到了頹廢派個人主義算是達了熟爛的時期，正和現在的巴黎代表最末的拉丁文明一樣。在藝術上來說，正如中國古詩人詩中所說的「夕陽無限好，只是近黃昏。」在文藝家本身上來說結果只是走上了「自殺」與「滅亡」的一條路，這正因爲浪漫派的時代，個人主義還可以存在，像擺倫一類的人物也正可以作他英雄的事業，及至到了近代，社會已不能容許這種個人主義行動，所以擺倫式的人物便再也不能產生；要在近代履行個人主義，那是只有在珈琲館，只有在賭博場，只有慢性或不慢性的自殺了。我們據此可以得到一個很大的覺悟，可以明白現代個人的文藝已失了牠底權威。我們所要求的是民衆的文藝家是置身於普勞列搭利亞中的文藝家，我們願把文藝獻給民衆去安慰他們底靈魂與鼓舞他們底勇氣；我們不願使文藝被資本家或支配階級買去充作他們底阿片烟和侍妾。這纔正是抬高文藝底價値，並且對於文藝的尊崇要在「爲藝術而藝術」的人們以上。

在法國現在還存在的兩個文學家，巴比塞與羅曼羅郎：這兩個人在中國也常被人提起的當我還沒有離法國時，他們兩個曾處於極相反對的地位，我想現在他們底態度也必定沒有變更若依我來評論，巴比塞總是現代的文學家，他知道文藝不能脫離時代，文藝家把自己底生活與藝術合而為一，他知道文藝家對於時代的重要，他更知道現在是民衆的時代，是反抗壓迫階級的時代，他確是實行作他底活動了。羅曼羅郎底思想恰恰相反，但依我看來，羅曼羅郎已經是一個在現代落伍的文學家了他很安適的住在瑞士底湖邊，他閉着眼睛不願看現在無量數的被壓迫群衆，他只追想着過去的「英雄」在過着他天才崇拜狂的迷夢，他一面與保守印度貴族階級的太戈兒相周旋，一面又與崇着那用無聊的無抵抗不合作主義斷送了印度的甘地：總之他還不了解他所處的時代，他確是已經落伍的了。法國現代文藝最大的危險便是個人主義流毒很深，雖然文藝家之多正可以同巴黎地道車中那些時裝婦女人數相比擬，但是可惜結果也只等於那些時裝的婦女罷了我以為要使法國文壇產生真正時代的作品，第一先要肅清 Deca-

292

dent式的個人主義。

上面講了許多話，其實我自己還是一個空有理想的懶惰者。不過我這許多見解都是一年來所變化的，並且我可以對你說我們幾個朋友都差不多有一致的傾向：沫若不用說了，仿吾也在作着實際的工作，就是病弱的達夫也改變了他底作風了。還有如木天雖然還住在北京，但是他底思想也必沒有甚麽觸悟的，

蒙你問到我們底作品，一年來沫若和其他的人都有新的著作，我自己是在努力着使我一向趨向於個人傷感方面的藝術完全死去，希望有一個新生到臨，我在「死前」裏面說道：

最好能到我墓前常述我死前的疲倦，
好使我；使我常在墓中感着悔恨，不安。

朋友，我請你，請你希望我死罷！

你底朋友
王獨清

二〇，六月，一九二七六月二十五日譯出。

294

知道自己

我們應該傷心，十二分的傷心！我們處在這樣的一個有意義的時代，我們住在處於這樣有意義的時代的中國，我們以文學家自命的我們，以作家自命的我們，卻不見有一篇代表時代的作品，不見有一篇代表時代的中國的作品！

從前希臘古代有一句格言說道：「知道你自己」這句話我們不妨用來作現在我們底格言。因爲我們統統是不知道自己！

聽了我這句話，你要是反駁地說道：「我怎麼不知道自己？我知我自己是人，我知道我自己是中國人！」那你便是在詭辯！那你這種不願意自省的小資產階級的傲骨，使你到死都不知道你自己！

我所說的「知道你自己」不是要你知道你自己是人或是中國人。我是要你知道你自己是甚麼時代的人或是甚麼時代的中國人。

到底我們所處的是甚麼時代？在這兒，我覺得用不着詳細來解說，我們只須簡簡單單地一看事實便能立刻明白。我們只簡簡單單看我們中國底事實：罷帝國主義對於我們的侵略，屢次劇烈的慘案，我們偉大的罷工運動，政治上出人意料的突變，空前未有的屠殺，歷史上第一次的大暴動……——我們只要睜開眼睛去看，不知道有多少向我們說明時代的事實。我們只要睜開眼睛去看，我們立刻可以明白我們是甚麼時代的人。

然而，我們不願意去看，我們一點也不願意睜一睜我們底眼睛，我們只知道作夢，我

296

們只矜持着我們底朦朧朦朧又朦朧，不怕時代怎樣的擺在我們底面前，不怕時代怎樣的在招致我們，我們却只是不管，不管，不管！

這樣，當然我們永遠不會知道我們是甚麼時代的人，永遠不會產生時代的作品。

我們處在這樣的一個時代，許多血淋淋的大事件在我們面前滾來滾去，我們要是文藝的作家，我們就應該把這些事件一一地表現出來，至少也應該有一番描寫或一番記錄。我們要眞是以文學作家自命，那我們就應該這樣。因爲一個文學作家決不是寫一寫自家底生活可以了事，也決不是唱一唱無可奈何的哀歌所可了事；文學作家是要把捉住他底時代，是要用直觀來把時代一切偉大的事實包括在他底作品之中。這兒沒有甚麼 Spieltrieb，沒有甚麼 "jeu de mots"，沒有甚麼 inspiration，沒有甚麼『爲藝術而藝術』，這兒只有研究，只有體驗，只有下刻苦的工夫。

我們，自命爲文學作家的我們，有一個最大的病症，便是不能吃苦！譬如上海這個地方，要算是最複雜的一個都會。我們要細細地考察和分析時，那我們底眼前不知道要湧現出多少刺激我們的材料：土豪劣紳，買辦階級，資本主義走狗……應有盡有；公司，酒店，旅館，娛樂場……應有盡有；工人、苦力乞丐，娼妓……應有盡有；工廠，牢獄，巡捕房，貧民窟……應有盡有——眞是說不盡，說不盡！這些材料都在我們底眼前，我們可以用來製造種種的文學，或是暴露，或是敍述，或是宣傳，或是煽動，任何方面都可以使我們寫出偉大的和強有力的作品出來。況且歷史上最動人的事件像五卅是發生在上海，使我們受刺激的地方不知道有多多少少！但是，奇怪！我們常住在上海，我們所有的文學家都聚會在上海，然而不見有一篇那樣的作品！住在這樣的一個都會，我們底文學作品反而是些不成器的讚美自然和無聊的陶醉戀愛的斷簡殘篇。這眞是一樁怪事！我眞不知道我們底文學家都在怎樣生活。我們底文學家都在作些甚麽！或者那些讚美自然和陶醉戀愛是我們文學家和他底愛人遊公園時所得的靈感，那麽，我們底文學家眞算是健忘又健忘了呢！上海

298

底公園是誰的？上海底公園是怎樣有的？這層，我們倒不能不佩服我們文學家與現實隔絕的本領了！總而言之，統而言之，我們只顧個人享樂，不顧考察我們底社會和分析我們底環境，我們最大的病症便是不能吃苦。

『吃苦罷！』我覺得我們在中間有提出這個口號的必要。

但是，我們却要禁止傷感，禁止愁歎。我們底態度要和炭坑裏和生死奮鬥的工人一樣：除了緊張和嚴肅沒有別的。我們須得深深地懺悔，深深地反省。現在的自然已經用不着我們讚美，戀愛也用不着我們陶醉。我們今後所有的時間已經由個人而轉變為大衆的，由安靜的轉變為鬥爭的了。我們要是不想在這種時間中生活，那我們只有去死，只有去自殺。

我們已經只是矇矓，矇矓便是作夢，作夢便是糊塗。我們是不曾知道我們是甚麼時代的人，我們不曾知道我們自己！

我們要吃苦！我們要知道我們自己！

一五，三月，一九二八。

300

西施

我是纔由蘇州回來的

我要往蘇州去的時候，非常高興。因爲蘇州是我們歷史上出名的都城，又是西施住過的地方，很値得去遊歷一次。我幻想中的蘇州是有說不出的莊嚴，是有說不出的濃豔，那兒底天都應該異樣的泛着溫柔的藍蔚，那兒底地都應該異樣的陳着一片香土。我打算去到蘇州痛快地徘徊幾天，引起我崇拜的懷古的心情，接受一點創作的靈感。

我預備的是去弔一次西施，囘來以前要寫一首哀感婉豔的長詩。

不但是這樣。我要往蘇州去的時候，有人對我說蘇州底女人是再美不過的，一到了蘇州，隨時隨地都可以看見最美的女人。我也想像那樣負着盛名的古都，住民當然有靈秀的遺傳，這話一定不會錯誤。我以爲我去決然可以看見許多從來不曾看見過的美人。

我要去蘇州時的心境是這樣，

但是，失望，失望！第一，蘇州完全不是我想像中的蘇州，那兒只有破爛，污穢，陳廢，荒涼，一點也引不起人流連的興會。弔西施的計劃，本來是空空洞洞的幻想，及至看見了那兒那種整個的腐敗，竟至一句詩也寫不出來。其次，到處都是貧民，小工，乞丐，跑街的妓女，所謂靈秀的遺傳，像是根本就沒有這麽一回事。至於我能看見的街上來往的女人，有許多窮得連衣裳都穿不完全，還講甚麽美不美呢！

所以這樣，竟使我底幻夢完全消滅，我底弔古的情懷始終未曾抬起頭來，靈感連影

302

子也沒有光顧過我。我只是挨了一身的塵土，兩手空空地回到了上海來。

不過，我這次到蘇州去雖然失了望，但卻發現了一個很大的道理。是甚麼道理呢？便是幻夢要同現實一致。

孟子說得好：『西子蒙不潔人皆掩鼻而過之』這句話很可以說明幻夢要同現實一致的道理。西子——就是西施——雖然是千古馳名的美人，無論是誰對她都有一種超人的幻想，可是假使真個見了她時，她是全身汚垢，那是只有令人趕快地廻避，連看也不能多看的了。我這次去遊蘇州，先在幻想着古代姑蘇城舊址，先在想着西施住過的名都，先在幻想着那兒種種的風流旖旎，那知及至到了那兒，纔是一片的腐敗，縱是充滿了窮苦，不怕你是一個追尋幻美的人，可是經不起現實只在你底眼前搗亂，你終歸不能不伏在現實底脚下了。

這層意思，要是老實地講出來時，那便是說，我們要充實我們底幻夢，須先充實我們底現實。

再進一步老實地說罷，我們底現實眞是達到破產的程度了。我所說的蘇州，不過是我們全部底一小部分，我們試把眼睛睜大來看，我們中國那一處不是破爛、汚穢、陳廢、荒涼？那一處不是滿佈着貧民，小工，乞丐，跑街的妓女？我們底一切都已經破產，經濟底壓迫一天勝似一天，我們失業的量數不知增加到甚麼地步了。你說，在這樣的情形裏面，在我們底生活根本起了搖動的這個時期，你要去追求幻美，要去作個人的春夢，這是辦得到的事情嗎？

是的，辦不到！我們可以懺悔了罷！我們過去只在陶醉着虛無，只在製造着 mirage 和 utopia 的文藝，只在崇拜着純藝術的鍍金菩薩——完全是場胡鬧！

現在是時候了。我們要把眼光移到現實上面來。我們要作詩人，要作文學家，要作藝術家，我們就要把脚站在社會的基礎上。我們唯一的責任是要領導着大衆向改造現社

304

會的一個正確的方向走去。

在現在，我們首先要強迫自己對於現實發生與會。我們堅決地承認：若是我們拋卻現實，便再沒有活動的所在。我們要一點不懷疑地承認這是我們的眞理。要這樣纔能改掉已往的錯誤，纔能開始新的工程。

目前住在上海的詩人，文學家，藝術家自然是很多。但是就我所接觸過的（談話上，通信上，作品上）都是些患着幻夢癖的人物。記得有一位朋友因爲傾慕十八世紀底古風，曾說要到歐洲去學比劍，意思是預備同別人爭女人時好實行決鬥！最妙的是他和另外的一位朋友底對話：

——……只有這樣纔是眞正的文藝家。把自家生命獻給自家底愛人，像古時的那些偉大的詩人一樣……我這次到法國總要把比劍學一學……

與其學比劍，不如學打手鎗的好。

——還是比劍好，決鬥時多是用劍的……

——那不一定，普希金同人決鬥不是用的手鎗嗎？

像這一種人物，聽去好像是我假造的一樣，其實卻是千眞萬眞。並且這種人物在目前怕也不算少，致因爲患幻夢癖的結果，只有同眼前的世界隔離，像這樣的狂態原是當然的事體。

我們要是覺得這種狂態可笑時，那我們就要趕快地轉變方向。我們看，黃浦江上排列的軍艦快要響牠們底礮聲了，我們還在這兒胡鬧甚麼！我們要是眞想做些比較近人情的美麗的幻夢，眞想和自己底愛人甜蜜地接吻，那還是趕快地起來作有用的工作，無論如何，先使你底現實充實、然後再講別的。要不這樣，愛人怕總不是我們底愛人，而所謂幻夢也不過是到頭來總要感到 desillusionnement 的一場夢中之夢

我們中國是一個負着盛名的古國，我很承認；我們有過黃金時代，有過光榮的歷史，

我也承認。但是這些，我們不能只去欷歔地憑弔一場便算了事。我們只像一個受過王政時代恩惠的軍官一樣在懷念着過去的光榮，那更是萬分的無聊了。我們應該注意的是現在，是目前，我們沒有徘徊於幽靈的木乃伊之前的餘裕。

我再來說一遍：要充實我們底幻夢，須先充實我們底現實。

我開首在說西施，我們就不妨把西施比成中國罷：我們要是愛西施，我們就應該先使她把身上洗得乾乾淨淨！

二〇，五月，一九二七。

人類底新紀元

來罷，你光榮的人類底新紀元的十月！來罷，我們高舉起兩手在歡迎着你底降臨！

寒風是這樣緊迫地吹來，我們眼看要被無情的空氣所侵蝕而流於僵死了。

在這種冷酷的殘暴的高壓之下，我們唯一的安慰便是有你底光燄存在，我們唯一的希望便是你底光燄將要不斷地燃起以烘熱我們底血脈。

來罷，你光榮的人類底新紀元的十月！

舊世界是早已如天明時的殘燈，只賸到牠最後的一喘．我們是要把這個殘燈徹底地撲滅，是要使新世界早日完成：我們底責任是早已這樣決定的了、

但是，這是你使我們有了這種確定的努力。因為你是由舊世界到新世界的一個轉機，在這轉機中使一向在人類中受輕蔑的人們得以表示了他們力量底偉大。

來罷，你光榮的人類底新紀元的十月！

我們知道歷史本來是我們生活的紀錄，本來應該是我們全部人數底生活的紀錄，

但是過去的歷史卻完全被少數支配階級所壟斷，而大多數被壓迫的羣衆幾乎沒有被列入於史頁的可能。

這是你，給了我們一個新的時代。一聲驚人的霹靂把布爾喬亞底壁壘震得粉碎，在那巨浪般的『達窪里捨 的狂叫中揭示了我們從新創造一切的旗幟。人類底歷史從此便得了一個新的開端。

來罷，你光榮的人類底新紀元的十月！

可憐的是過去的那些思想家：他們一面既製造了假的歷史以醉痲羣衆，一面便不能不樹起了拋開歷史的虛僞理論以作他們底文化基礎。這個使他們不得不自陷於破產的狀態；牠們對於社會形態底不變性的種種辯護結果還只是等於一無所有。

在這兒，我們便認清了馬克西斯姆底特性。牠是打破了論理主義或心理主義的那些哲學體系的先鋒，牠緊緊地握着歷史的事實以解釋社會生活前進的程序，牠把理論與實踐統一了起來。牠使舊有的文化起了一個槃個的動搖。——但是，這是你纔使這個給現代文化建設了奇偉的基礎的馬克西斯姆得了客觀的證明。

來罷，你光榮的人類底新紀元的十月！

現在，全世界已經到了分化的時期了。這分化是一天一天地顯明了起來：帝國主義正預備着他們聯合的最後的進攻，世界第二次的大戰怕在不遠的將來就要實現。

不過這是我們早已料到了的事體，舊世界底殘燈般的呼息是總要在死前維持牠底存在的。在這兒，我們只有不放棄你給我們的勇氣，我們要堅苦地猛烈地鬥爭着前去，

312

總要使你底光燄把全世界照得通紅。

來罷，你光榮的人類底新紀元的十月！

總之我們底周圍正是在被無情的寒風所襲擊着的時候，我們要求自救，除了先把這冷酷的殘暴的環境征服以外，是再沒有別種出路的。

所以，我們在這兒紀念你，追想你，讚美你，禮拜你。並且，希望你底精神快快地躍入於我們這東方老大民族底心臟之中，快快地使我們有一個偉大的聖潔的眞理的 EPoche 底出現。

來罷，你光榮的人類底新紀元的十月！來罷，我們高舉起兩手在歡迎着你底降臨！

（爲「思想月刊」作）

314

爲滿洲事件對國外宣言

（爲展開社作）

我們眞是忍無可忍，來把我們血渠中的呼聲投向你們。

這次，日本帝國主義以橫暴的武力佔據中國東北土地，殺戮，刼掠，直把強盜底面目揭露無餘。中國數千萬手無寸鐵的勞苦羣衆在炮火聲中積屍爲山，鮮血汚遍了滿洲底沃野。亞洲底風雲一變而充滿了屠場底腥味。

但是，中國底當局卻只以無抵抗的手腕應付這一個悲慘的局面，日本帝國主義遂步步前進，眼看便要蹂躪到北平，鐵蹄底巨跡將踏碎這東方半殖民地底卑賤的命運。

這是非常明顯的一個事實。資本主義近年來的經濟恐慌可謂到了高度，爲想越過這層難關，帝國主義底掙扎只有扯開了強盜底面孔。——奴役本國底勞苦羣衆以殘殺別國，寧可使人類再陷於世界大戰的惡氛之中。

同時，帝國主義底衝突，爲搶刦贓物的衝突也是逼到不能互相忍耐的時期。日美兩帝國主義在中國衝突的結果便促成了這次的事變。

更有，帝國主義對蘇俄的嫉恨在牠們不入墳墓以前是不會消滅的。這次事變的逼來又恰在蘇俄底邊境，想從此爆發一個反蘇俄的大戰是無可辯啄的事實。——這也便是所謂『國聯』對於這個事件只想用敷衍的方法去了結的原因。

我們處在一向恐怖布滿了的中國，已經是在失了自由的生存中偸活，而這次的事變更助長了我們災難的圍氛，我們幾乎是別個鎗炮下的生物，我們就好像生來是專爲供人來屠殺的一樣。

我們是再也不能忍耐了！我們不能夠再在這種重重壓迫之下呼吸，我們不願聽所有上層階級的騙語，我們要自動地起來求活！

我們反抗這種強盜的帝國主義！我們反對世界第二次大戰！

現在，我們把我們底呼聲投給你們，希望你們給我們一個有力的聲援。並望能轉告世界民衆注意日本帝國主義底暴行，同時在反抗帝國主義和反對世界大戰的旗幟下團結起來爲人類自由的前途作奮死的鬥爭！

二〇，九月，一九三一。

民國二十二年九月初版

每冊實價大洋一元

獨清自選集

有著作權

著者　王獨清
發行者　樂華圖書公司
印刷者　樂華圖書公司

總發行所
上海四馬路中市五四七一五四八號　樂華圖書公司
門市部　四馬路中五六五號

特約發行所
廣州永漢北路　共和書局
漢口特三區保華街　光明書局